TURAS THAR CHUAIN

Pòl Mac A' Bhreatunnaich
Seonag Chaimbeul

TURAS THAR CHUAIN

Roimh-Ràdh

Mun do sheòl mi air an turas fhada a thug mi air
sgrìob mun cuairt an t-saoghail, bha Màiri, mo
bhean, a bha teagasg ann an sgoil mhòr ann am
baile ùr, Chomar nan Allt, a' smaointinn gum
b'e cothrom anabarrach math e do chloinn
a' bhaile mhòir, iomradh fhaotainn air na
h-àitean anns am bithinn a' tadhal, nan
sgrìobhainn thuca.

Thadhal mi san sgoil a choinneachadh
ris a' bhuidhinn chloinne gum bithinn
a' sgrìobhadh, agus a dh'innse dhaibh beagan
mu dheidhinn a' bhàta, m' obair fhèin air bòrd,
agus obair nam maraichean eile. Sheall mi an
rathad a bhithinn a' leantainn air map mòr a
bha aca air a' bhalla. B'e am beachd mo thuras
a leantainn le sreang a tharraing o àite gu àite,
agus bratach gach dùthaich a dhealbhadh agus
a chur air na diofar phort. Bha mi dol a chur
thuca clàr a dh'innseadh dhaibh an latha a
bhitheadh am bàta an dùil seòladh às gach àite,

's mar sin bhitheadh deagh bheachd aca càit am bitheadh i gach latha a bha i aig muir.

Bha mi fhèin cheart cho dèidheil an gnothach a ghabhail os làimh, oir bha mi gu math tric a' sgrìobhadh mu thurais an siud 's an seo gu sgoiltean tron 'Ship Adoption Society' — ach b'e diofar gnè a bha seo, oir b'aithne dhomh a' chlann, agus le mo bhean fhèin gan teagasg, smaointich mi nach fairicheadh ise an dealachadh cho fìor dhoirbh 's mi gu bhith air falbh faisg air còig mìosan.

Pòl Mac a' Bhreatunnaich
Ann am Bracara, Morair.

1. TURAS THAR CHUAIN

Anns na bliadhnaichean an dèidh an dàrna
cogadh mòr, bha cabhlach mhòr bhàtaichean
a' seòladh a-mach à bailtean-puirt Bhreatainn
's a' siubhal gach cèarn dhen t-saoghal.
Bhitheadh iad a' tarraing gach bathar a chaidh
a dhèanamh sna taighean-ciùirde air feadh ar
rìoghachd, airson gach dùthaich a bha
ro-dheònach na nìthean sin fhaotainn, agus
nan àite reiceadh iadsan na luchdan dhe na
nìthean ùra a bheireadh iad às an dùthchanan
fhèin airson taighean-ciùirde Bhreatainn
uidheamachadh le gach nì a bha feumail a
dhèanamh.

A-nis le bàtaichean a' siubhal an t-saoghail
gu àiteachan annasach, cha robh e na iongnadh
gun deach buidheann ris an cainte 'Ship
Adoption Society' a chur air bonn, airson
sgoiltean sgrìobhadh gu sgiobaidhean
bhàtaichean agus faighinn naidheachdan
bhuapa mu na h-àitean aig an robh iad
a' tadhal. Bha sin a' toirt cothrom do chloinn
an saoghal fhaicinn mar gum b'eadh tro

shùilean nan seòladairean, agus barrachd fiosrachaidh fhaighinn na gheibheadh iad ann an leabhraichean-sgoile.

Bha mise nam Oifigeach Rèidio aig muir, agus is mise a bhitheadh a' sgrìobhadh nan litrichean air gach bàta air an tachradh dhomh a bhith ma bha i air a clàradh aig an 'Ship Adoption Society'. B'e beachd chàich air bòrd nach robh uiread a dh'obair agamsa ri dhèanamh, 's iad gam fhaicinn nam shuidhe ann an oifis, mar a shaoileadh iadsan, 's gun agam ri dhèanamh ach èisdeachd ri fuaimean neònach a' tighinn às na h-uidheaman mum choinneamh. Cha robh e gu feum dhomh a bhith feuchainn ri innse dhaibh gun robh àmannan a bha m' obair-se cheart cho searbh ris na bha iad fhèin a' dèanamh! Co-dhiù, 's ann agamsa a dheidheadh an sgrìobhadh fhàgail mar bu trice. Ach gu cinnteach, nuair a ruigeamaid baile-puirt, bha barrachd cothrom agamsa a dhol air tìr agus seallaidhean gach àite fhaicinn.

Nuair a ruigeadh bàta port, bha Oifis an Rèidio ri ghlasadh suas, oir cha leigeadh riaghailtean dhùthchannan cead an rèidio ùisinneachadh fad 's a bha bàta ann am port. Bha iomadh reusan airson sin, ach b'e aon no dhà dhe na riaghailtean nach dèanadh math do rèidio bàta a bhith dèanamh eadraiginn ri ceòl agus naidheachdan rèidio dùthchasach, agus a' cur calldachd air oifisean-puist nan tòisicheadh bàtaichean ri cur bhrathan tarsainn

2

an t-saoghail an àite dhol tro na h-oifisean-
puist aca fhèin. Chan eil teagamh nach robh mi
fhèin toilichte gu leòr leithid a riaghailtean a
bhith ann, oir bha an cothrom agam a bhith
saor gu math tric fad 's a bha sinn ann am port.

Mar sin dh'fhàs mi car eòlach air sgrìobhadh
gu sgoiltean, ag innse dhaibh mu na h-àitean a
bha mi faicinn agus a' freagairt gach ceist a
chuireadh iad orm.

Bha mi air bàta ùr air an robh an t-ainm *Clan
Alpine* — tè de chabhlach mhòr a' *Chlan Line*.
Bha na bàtaichean aig a' chompanaidh sin uile
air an ainmeachadh às dèidh sloinneadh nan
cinnidhean Gàidhealach. B'e *Clan Alpine*
ainm a' chiad bhàta a thog an companaidh ann
an 1878, agus b'e seo an còigeamh tè dhen ainm
— chaidh an fheadhainn a chaidh roimpe a
chall eadar stoirmean agus cogaidhean agus
gun teagamh bha sinn uile a sheòl air an tè ùr an
dòchas nach b'e sin a' chrìoch a thigeadh
oirre-se.

Bhitheadh bàtaichean na companaidh mar
bu trice a' seòladh air turais shònraichte gu Na
h-Innseachan, Afraca a Deas, Afraca an Ear
tron Suez Canal, no gu Astrailia. Bheireadh
gach turas a thòisicheadh an Glaschu gus an
tilleadh am bàta a Bhreatann eadar trì agus
ceithir mìosan. Ach b'e turas eadar-
dhealaichte air an robh an *Clan Alpine* ri dhol
air a' chuairt seo, agus bha sin ga dhèanamh gu
math na b'inntinniche dhan chloinn-sgoile a
bha dol a leantainn an turais fad an rathaid mar

a chuirinn iomradh thuca.

Chaidh mi chun na sgoile, agus thachair mi
ris a' chloinn, agus le map dhen t-saoghal air
a' bhalla, sheall mi dhaibh na h-àitichean sam
bithinn a' tadhal air an turas seo. Bha am bàta
ri tòiseachadh a' luchdadh ann a Hamburg sa
Ghearmailt, agus an dèidh sin ann am puirt eile
an ceann a tuath na h-Eòrpa, mun scòladh i
tarsainn a' Chuain Shiar gu Baltimore an
Ameireaga. As an sin bheireadh a turas i gu
Puerto-Rico, am Panama Canal agus tarsainn
a' Chuain Shèimh gu Tahiti, agus an sin gu
New Caledonia far an robh an luchd ri chur
aisde. An dèidh an àite sin fhàgail bha am bàta
a' dol a luchdadh a-rithist ann am puirt
an Astrailia le bathar a bheireadh i air
ais a Bhreatann, a' tilleadh tarsainn a' Chuan
Innseanach gu Afraca a Deas agus suas taobh
an iar Afraca air an t-slighe fhada dhachaigh.
Bha sinne a' dol mun cuairt an t-saoghail agus
gu cinnteach a' dol a dh'fhaicinn iomadh àite
annasach.

Bha a' chlann uile deònach gun innsinn
dhaibh beagan mu dheidhinn a' bhàta fhèin.
Thuirt mi riutha gun deach an *Clan Alpine* a
thogail ann an gàrradh-luingeis Scotts ann an
Grianaig sa Ghiblean 1967, agus gum b'e mi
fhèin a' chiad Oifigeach Rèidio a chaidh
thuice. Bha i beagan 's còig cheud troigh a
dh'fhad, trì fichead agus trì troighean a leud, le
doimhneachd luchd naoi thar fhichead troigh
agus naoi troighean saor os cionn na fairge 's i

làn luchd. (Tha sin a' ciallachadh gun gabhadh i luchdadh gus an robh i sìos san uisge gu naoi troigh thar fhichead, agus bha naoi troighean eile dhe cliathaich saor os cionn an uisge). Bheireadh i leatha mu dhusan mìle tunna de luchd aig astar seachd mìle deug (mara) san uair. Bha sin mu fhichead mìle san uair a rèir astar air tìr.

Bha e riatanach gum bitheadh de dh'ola agus uisge air bòrd aig toiseach turais na chumadh a' dol i airson mìos, 's mar sin bhite a' toirt ola agus uisge air bòrd anns na puirt air an t-slighe airson a cumail a' dol. Bhite cuideachd a' dèanamh uisge ùrail leis na h-uidheaman air bòrd, ach bhitheadh an t-uisge sin ga ùisinneachadh airson gach gnothach ach ga òl, oir bhitheadh an t-uisge a thigeadh o thìr na bu bhlasda airson bidhe is deocha.

Airson tarraing a' bhathair, bha am bàta air a roinn ann an còig earrannan, no tuill mar a theirte riutha. Bha ceithir dhiubh air thoiseach air an drochaid, agus am fear eile eadar an drochaid agus an deireadh. Bha innealan-togail aig gach toll airson na luchdan a thogail — fear a thogadh deich tunna agus fear eile sia tunna deug — ach bha aon inneal-togail mòr innte comasach air luchd trì fichead tunna a thogail. Bhitheadh sin riatanach nuair a bhitheadh leithidean uidheaman mòra troma air an tarraing am measg a' bhathair sa bhàta. Bha na dorsan mòra a bha a' dùnadh mullach nan toll air an dèanamh le iarann, agus air an

5

obrachadh le uidheaman-dealain a dhùnadh 's
a dh'fhosgladh iad gun strì. Bha sin gu math
feumail nan robh coltas uisge no frasan ann, 's
gum feumte na tuill a dhùnadh ann an tiota
mun deidheadh am bathar a mhilleadh.

Bha trì fichead de sgioba air a' bhàta uile gu
lèir. Bha ochd deug de dh'oifigich oirre agus an
còrr eadar seòladairean, an fheadhainn a
bhitheadh ag obair gu h-ìosal am measg nan
inneal, agus còcairean 's stiùbhardan. B'e
Breatannaich a bha sna h-oifigich ach bha an
còrr dhen sgioba à Bangladesh. Bha a rùm
fhèin aig a h-uile oifigeach ach bha dithis ann
an cuid de rùmannan an sgioba, ged a bha a
rùm fhèin aig a' chuid bu mhotha dhiubh.

Bha gach rùm air bòrd air a shuidheachadh
gu sgiobalta, le gach riatanas is goireas. Bha
fòn anns gach rùm gu brath a chur gu neach
sam bith ma bhathar ga iarraidh ann an
cabhaig, agus bha loudspeaker cuideachd anns
a h-uile rùm airson èisdeachd ri rèidio, ceòl o
chlàir, no teipichean a rèir gach miann. Mur
robh duine airson èisdeachd ris, bha e furasda
gu leòr a thionndadh dheth.

Shuas gu àrd air a' bhàta, bha an drochaid
far am bitheadh i air a stiùireadh, agus far am
bitheadh oifigich a' cumail sùilean geur air
a' chuan mun cuairt air latha agus oidhche.
Bha gach uidheam an sin a bha dèanamh
saothair an t-seòladair gu math na b'fhasa na
b'àbhaist e bhith sna sean làithean. Shealladh
an radar dealbh dhen chuan mun cuairt

7

a' bhàta gu astar leth cheud mìle, ach nuair a
bhitheadh i tighinn dlùth air cladaichean
ghabhadh an t-astar sin atharrachadh gu
fichead mìle, no na bu lugha, airson an dealbh
a dhèanamh na bu shoilleire agus leithid
sgothan beaga 's sgeirean fhaicinn na b'fheàrr.
Air meadhan a' chuain, tha e nas riatanaiche
bàtaichean eile a thogail air astar, airson 's gun
gabhadh sùil a chumail air an cùrsan agus
cumail às an rathad. Nuair a thuiteas ceò 's
nach faic seòladair seachad air sròn a bhàta
fhèin, sin nuair a tha dealbh an radar feumail,
oir seallaidh e gach nì a tha san rathad agus
dealbh na tìre ma tha am bàta faisg air cladach
airson an t-astar bhuaithe a thomhas. Tha
uidheaman eile ann mar an Radio Direction
Finder a bheir suidheachadh thaighean-solais
dhaibh, agus Echosounders a thomhaiseas an
doimhneachd fo bhonn bàta chun a' ghrunnd.
Tha sin feumail a' dol a-steach aibhnichean 's
puirt far nach eil an doimhneachd ro mhòr agus
ma tha am bàta luchdte tha e riatanach sùil
gheur a chumail air mun tig am bàta air
a' ghrunnd.

Chan eil feum air seòladair seasamh air
cùl cuibhle a' stiùireadh bàta a-nis oir tha
uidheaman ann a chumas i air a cùrsa, agus
uidheaman eile a' shealltainn air cairt a' chùrsa
a tha i a' stiùireadh. Ach nuair a bhitheas am
bàta ann an droch shìde le fairge agus stoirm
mhòr, tha e nas fheàrr seòladair a bhith aig
a' chuibhle gu barrachd smachd a chumail air

8

an stiùireadh nuair a bhitheas i air a sloisreadh le stuaghannan mòra agus a sròn a' tionndadh o thaobh gu taobh.

Air a' *Chlan Alpine*, bha rùm an rèidio air a shuidheachadh an cùl na drochaid, agus an sin bha na h-uidheaman a chumadh am bàta ann an còmhradh ri gach cearn dhen t-saoghal. Aig an àm ud b'e Morse Code a bu thrice a bha air ùisinneachadh. Nuair a bhitheadh teachdaireachd ri chur air astar bhitheadh e na b'fhasa faighinn ann an còmhradh ri àitean fada air falbh le morse, na le fòn. Tuigidh sibh sin ma dh'fheuch sibh riamh ri èisdeachd ri stèisean shònraichte air Short Wave air rèidio, agus a bha i doirbh a togail le fuaim o stèiseanan eile a' briseadh air a h-uachdar. Le morse tha e nas fhasa na fuaimean sin a lughachadh agus an teachdaireachd a dhèanamh a-mach, ach bheir eadhon sin fhèin ùine agus bliadhnachan de chleachdadh mum fàs duine buileach ealanta sa ghnothach. Bha transmitters agus uidheaman eile ann an rùm na rèidio airson brath a chraobh-sgaoileadh nan tachradh am bàta a bhith ann an èiginn, agus uidheaman a thogadh brath-èiginn o bhàtaichean eile agus a bhualadh glaig airson oifigeach an rèidio a thoirt às a leabaidh nan tachradh sin feadh na h-oidhche.

Airson ceòl agus naidheachdan a chur air feadh gach seòmar sa bhàta, bha rùm eile ri taobh rùm an rèidio anns an robh uidheaman airson clàir a chluich, teipichean, agus

9

naidheachdan an t-saoghail a thogail. Thaghadh gach neach na sheòmar fhèin cò ris a bha e a' dol a dh'èisdeachd.

B'e obair Oifigeach na Rèidio na gnothaichean sin obrachadh, ach a bhàrr air an sin, bha aige ri gach uidheam air an drochaid mar an radar a chumail daonnan ann an deagh òrdugh, agus an càradh nan deidheadh iad ceàrr. B'e obair inntinneach e a' còmhradh ri àitean air feadh an t-saoghail, no bàtaichean eile mun cuairt a' chuain, agus bha gu leòr eile ri dhèanamh a' cumail gach nì ann an deagh òrdugh.

Shìos ann am bonn a' bhàta bha na h-innealan mòra a bha a' cumail a' bhàta a' gluasad air an suidheachadh. Air a' *Chlan Alpine* bha trì generators mhòra a bha dèanamh an dealain airson na h-uidheaman eile a ruith. B'e glè bheag air a' bhàta nach obraicheadh gun dealan, 's mar sin bha e ro-riatanach na generators a chumail an deagh òrdugh daonnan.

Bha clann na sgoile dhan robh mi ag innse mu dheidhinn a' bhàta a' leantainn m' eachdraidh gu deidheil, agus bha e glè choltach a rèir an cèistean gum b'fhìor thoigh le feadhainn aca a bhith dol air sgrìob gu muir iad fhèin.

Dh'fheuch mi ri beagan innse dhaibh mun chaithe-beatha air bòrd a' bhàta nuair a bhitheas i a' seòladh tarsainn a' chuain, fada o thìr, 's gun ri fhaicinn ach a' mhuir san speur os ar cionn. Chan eil sin cho doirbh cuir suas ris 's a shaoileas duine. Tha obair fhèin aig a h-uile neach air bòrd ri dhèanamh, ceart mar a dh'fheumas duine obair a dhèanamh air tìr.

Air an drochaid, far am feum oifigeach a bhith latha 's oidhche fad 's a tha am bàta aig muir, bithidh gach oifigeach a' dèanamh ceithir uairean air an drochaid agus ochd uairean dheth mun till e gus an ath sgrìob a chur seachad gach latha. Tha na watches mar a theirte air na h-uairean obrach air an cur a-mach mar seo: dà uair dheug a dh'oidhche gu ceithir uairean sa mhadainn aig an Dàrna Oifigeach, ceithir uairean gu ochd aig a' Chiad Oifigeach, agus ochd gu meadhan latha aig an Treas Oifigeach. Tillidh an Dàrna Oifigeach chun na drochaid aig meadhan latha, agus mar sin gach latha. Bithidh Oifigich nan innealan mòra a' cumail nan aon uairean. Cha bhi an Sgiobair no an Chief Engineer a' cumail uaireannan obrach mar chàch idir, oir tha iadsan nan ceannaird air a' bhàta, agus feumaidh iadsan a bhith deiseil leum air an casan a' mhionaid a thèid gnothaichean ceàrr. Is ann air guailnean an Sgiobair a thuiteas cudthrom a' bhàta a ruith dòigheil agus is e esan a dh'fheumas freagairt dhan chompanaidh.

Nuair a bhitheadh na h-oifigich saor o obair, dhèanadh iad mar bu thoigh leotha fhèin. Bha seòmar mòr ann anns an cruinnicheadh iad uile, agus far an robh bàr ann an oisean ma bha

pathadh air neach. An dèidh a bhith shìos anns
an teas ann an rùm nan innealan mòra, chan eil
teagamh nach robh deoch fhuar glè riatanach.
San t-seòmar sin bha telebhisean nuair a
bhitheadh am bàta faisg do thìr agus a
ghabhadh e a thogail, ach aon uair 's gum fàgte
tìr chailleadh iad an telebhisean, agus an
uairsin bha filmean agus bhideo gu leòr air
bòrd a dh'fhaodadh duine fhaicinn. Bha
preasan làn de leabhraichean ann dhaibh-san a
b'fheàrr suidhe sìos agus leabhar a leughadh.
Bha seòmar eile air a shuidheachadh airson
chleasan-cluiche agus iomadh cleasachd eile a
ghabhadh cluich a-muigh air a' chlàr-uachdair
ann an deagh shìde. Nuair a dh'fhàsadh an
t-sìde teth, gheibheadh gach aon cothrom
bogadh san amar air bòrd, agus sìneadh air
a' chlàr no suidhe an cathair chanabhais gu e
fhèin a' ghreidheadh sa ghrèin.

Bha seòmraichean a' bhàta, air an cumail
fionnarach agus mar sin shuidheadh gach
neach sìos gu biadh blasda ann an cofhurtachd,
ann an seòmar mòr snasail le bùird air an
còmhdach le anart geal agus gach seòrsa
soithich. Chuireadh na stiùbhardan a-mach am
biadh, coltach ri mar a gheibhte ann an
taighean-òsda air tìr.

B'e daoine à Bangladesh a bha sa chòrr dhen
sgioba air a' *Chlan Alpine*, agus air thàillibh
sin, bha an seòmraichean fhèin acasan airson
bìdhe agus airson còcaireachd air leth. A
thaobh an creideimh, chan itheadh iad mòran

dhen t-seòrsa bìdh a bhitheadh againne — bha iadsan dèidheil air coiridh agus rus leis gach nì a dh'itheadh iad! Bha iad glè dhèidheil air filmean agus air an telebhisean — ged gu math tric nach tuigeadh iad an dàrna leth 's a bhathar ag ràdh.

2. TOISEACH AN TURAIS

B'e an dòigh a bha aig a' chompanaidh air làithean-saora a thoirt dhuinn an dèidh a bhith thall thairis air turas fada, oifigich eile a chur chun a' bhàta sa chiad phort am Breatann dhan tilleadh i, agus sinne a bha seòladh sa bhàta tilleadh thuice a-rithist mun tòisicheadh i air an ath sgrìob thar nan cuan. Mar sin, cha do thill mise chun *Chlan Alpine* gus an do ràinig i Hamburg sa Ghearmailt, agus bha i tòiseachadh a' luchdadh airson an turais fhada gu taobh eile an t-saoghail.

Dh'fhalbh mi à Lunnainn air plean Lufthansa a thug mi dìreach gu Hamburg, agus o nach do ràinig am bàta a cala an oidhche sin, chaidh mo chur suas ann an taigh-òsda sa bhaile gu madainn. Sin nuair a fhuair mi cothrom cuairt a ghabhail mun bhaile, agus beagan ionnsachadh mu dheidhinn, a dh'innsinn do chloinn na sgoile ann an Comar nan Allt.

Is e baile-puirt mòr a tha ann a Hamburg

suidhichte air an Abhainn Elbe — tè dhe na
h-aibhnichean as motha san dùthaich, agus a
thaobh a doimhneachd, tha i comasach gach
seòrsa agus meud bàta a thoirt dhan phort.

Chaidh sgrios sgrathail a dhèanamh air
a' phort aig àm a' chogaidh le bomaran
a' leagail an toirmean uabhasach gun sgur
airson crìoch a chur air gach bàta agus gu
h-àraidh na "U-Boats" a bhathar a' togail anns
na gàrraidhean-iarainn. Mar bu chruaidhe a
bha an sgrios on adhar a' fàs, fhuair na
Gearmailtich dòighean air na "U-Boats" a
thogail agus a shàbhaladh ann an togalaichean
annasach concrete a bha ficheadan troigh a
thiughad, agus a bha doirbh da-rìribh a
mhilleadh eadhon le na toirmean bu mhotha a
leagte orra. Chaidh sgrios sgrathail a leagail air
na gàrraidhean-iarainn agus air na calaidhean
eile, ach a dh'aindeòin sin chum iad am port
fosgailte gu deireadh a' chogaidh.

Gu neònach chaidh cuid mhath dhe na sean
thogalaichean riochdail os cionn na h-aibhne
fhàgail slàn, gu h-àraidh eaglaisean mòra a bha
rìomhach da-rìribh. Bha na sràidean laiste le
bùthan a' reic a h-uile seòrsa rud, ach b'e na
taighean-òsda agus àitean-bìdh a bu trainge.

B'àbhaist luchd-obrach nan gàrraidhean-
iarainn agus na bhitheadh ag obair mu
thimcheall a' phuirt a bhith a' còmhnaidh faisg
air taobhan na h-aibhne. Chaidh na taighean
sin uile a sgrios gu làr le na toirmean uabhasach
a thuit orra às an speur aig àm a' chogaidh.

Chaidh àireamh gun chiall de theaghlaichean a
mharbhadh aig an àm. Bha na cidheachan agus
na calaidhean air am milleadh, ach mun àm san
do thadhail mise sa phort, bha gach àite air a
thogail as ùr. Far an robh a' chuid mhòr dhe na
cidheachan nar dùthaich sean-fhasanta, bha
iad seo air an togail ùr glan, mar a bha gach
uidheam airson ar luchd a làimhseachadh. Bha
a' Ghearmailt air faighinn air a casan an dèidh
sgrios a' chogaidh, agus bha cothrom aice
a' chuid mhath dhe na bha na taighean-ciùirde
a' dèanamh a reic ris an t-saoghal mhòr.

Bha an *Clan Alpine* a' toirt bhogsaichean
mòra air bòrd, làn de innealan de gach seòrsa a
bhitheadh ri ùisinneachadh ann an New
Caledonia — fada air falbh sa Chuan Shèimh.
Cha tugar fada a' luchdadh an earrann sin
dhen bhathar agus rinn am bàta deiseil gu
seòladh.

Airson a seòladh sìos fad na h-aibhne,
thàinig fear-iùil air bòrd, agus is e esan a stiùir i
tro chumhangan na h-aibhne a bha buileach
trang le soithichean eile sìos is suas. B'e
sealladh bòidheach e air gach taobh dhen
abhainn le craobhan 's tràighean geala, agus
taighean mòra rìomhach. Bha bàtaichean-
aiseig làn le luchd-turais a' seòladh sìos 's suas
an abhainn, a' sealltainn dhaibh gach annas air
gach taobh. Mun do ràinig sinn beul na
h-aibhne, chaidh sinn seachad air taigh-òsda
mòr le bùird 's cathraichean a-muigh sa ghrèin.
Bha cruinn àrda air aghaidh air an robh bratach

na Gearmailt fhèin, agus fear sònraichte air an cuirte suas bratach-dùthcha gach bàta a bha seòladh seachad. Aig an aon àm, chluicheadh iad laoidh-shònraichte na dùthcha dom buineadh am bàta, agus ceòl air loudspeakers a chluinnte fada air falbh. Bheireadh gach bàta fead chruaidh às a fideag ag aideachadh urram agus caoibhneas sealbhadair an taigh-òsda.

An dèidh an abhainn fhàgail, dh'fhàg am fear-iùil am bàta, agus chuir an sgiobair a sròn air cùrsa a bheireadh sinn gu Antwerp, an ath phort.

ANTWERP

Tha baile Antwerp suidhichte air Abhainn Schelde, mu dhà fhichead agus còig mìle deug on mhuir, aig earrann dhen abhainn a tha còrr 's dà mhìle troigh a leud. Is e abhainn mhòr dhomhainn a tha san Schelde, 's mar sin tha e comasach do gach seòrsa bàta seòladh sìos 's suas gun strì. Tha leud na h-aibhne far an deach am port a shuidheachadh, ga dhèanamh nas fhasa do bhàtaichean tionndadh mun cuairt ann.

Air thàillibh 's gu bheil am port cho fada suas an abhainn an teis mheadhan na dùthcha, tha e furasda bathar na dùthcha a chruinneachadh ann, agus a-nis leis an E.E.C. co-cheangailte ri dùthchannan eile na h-Eòrpa, tha meall mhòr de bhathar na h-Eòrpa a' dol a-steach 's a-mach tron phort.

A bhàrr air bathar nan dùthchannan eile, tha

17

cus de dh'obraichean a' dol air aghaidh an Antwerp fhèin agus tha iad a' cur na tha iad a' dèanamh a-null thairis. Bha e riamh ainmeil airson geàrradh dhaoimein, fìor-ghlanadh ola agus siùcair, grùdaireachd leanna agus deochan-làidir de gach seòrsa. Bha a ghàrraidhean-iarainn ainmeil airson togail bhàtaichean, agus a bhàrr air an sin tha taighean-ciùird ann airson fighe aodaich, airson a bhith a' dèanamh glainne, cement, clach-creadha agus iomadh rud eile.

Tha iomadh togalach rìomhach ann an Antwerp, ach tha mi creidsinn nach eil aon cho ainmeil ri Ard-eaglais Notre Dame a chaidh a thogail anns a' cheathramh linn deug. An sin chithear dealbhan riochdail o leithid Rubens agus Van Dyck.

B'ann an Antwerp a chruthaich Christopher Plantin an dòigh air clò-bhualadh, agus a' chiad cheum gu gach leabhar 's pàipear-naidheachd air a bheil sinn eòlach an-diugh.

Thug am bàta tuilleadh bathair air bòrd an sin — a' chuid bu mhotha innealan ann am bogsaichean mòra, agus aodach 's nìthean eile nach robh furasda am faotainn air taobh thall an t-saoghail aig an àm.

Sheòl sinn sìos an Schelde, agus rinn sinn cùrsa air an ath phort nach robh fada air falbh — Dunkirk san Fhraing.

DUNKIRK
Is e Dunkirk an treas port as motha tha san

Fhraing an dèidh Marseilles agus Le Havre.

Cha mhòr nach deach a sgrios gu làr buileach aig àm a' chogaidh, nuair a sguab an t-arm Gearmailteach tarsainn an Olaind agus a' Bheilg, agus a sheas an t-arm Breatannach nan aghaidh gus an deach an imrich tarsainn a' Chaolais Shasannach gu tèarainteachd an dùthaich fhèin. B'ann o thràigh taobh an ear dhen bhaile aig àite beag, Malo les Bains, ann an 1940, a chaidh 350,000 saighdear de gach àrm a bha sabaid còmhla ris na Breatannaich a shàbhaladh.

Tha baile Dunkirk air a thogail as ùr a-nis, le sràidean farsaing agus togalaichean eireachdail. Tha na sràidean air an ainmeachadh an dèidh dhaoine agus bhoireannaich ainmeil ann an eachdraidh na Frainge. Tha na bùthan as motha air Boulevard Jeanne d'Arc. Tha sràidean eile air an ainmeachadh, Boulevard Alexandre III, Place Jean Bart, Place du Minck, Rue Clemenceau, Rue Marechal Foch agus Rue Poincare. B'e an càrn-cuimhne do Jean Bart aon dhe na bha fhathast na seasamh slàn an dèidh a' chogaidh. Chaidh talla-mhòr a' bhaile a chaidh a mhilleadh, agus Tùr a' Chlaig a chaidh a thogail sa chòigeamh linn deug, a thogail as ùr.

Tha an tràigh aig Malo les Bains air a bheil cuimhne aig iomadh saighdear a dh'fhàg i beò, a-nis na h-àite bòidheach airson luchd-turais.

Cha robh am bàta ach an aon latha an

Dunkirk, a' luchdadh uidheaman troma airson mheinnean, agus carbadan de gach seòrsa, agus bha sinn uair eile a' seòladh sìos an Caolas Shasannach gu Le Havre. Air an taobh eile, deas dhuinn, chitheamaid cladaichean taobh a deas Shasainn le raointean gorma agus stùcan geal Dover san astar.

LE HAVRE

B'e Le Havre am prìomh phort air ceann a Tuath na Frainge, suidhichte air an Abhainn Seinne. Sna làithean nuair a bhitheadh na soithichean rìomhach a' dol a-null gu New York loma-làn le luchd-turais, b'e port trang a bh'ann le trèanaichean a' toirt nan daoine dìreach à Paris gu dhol air bòrd nam bàtaichean mòra mun seòladh iad. A-nis, gun aon dhen t-seòrsa sin air fhàgail, 's e bàtaichean-aiseig 's motha a tha a-mach 's a-steach gun fhois a' tarraing an t-sluaigh 's an carbadan eadar Sasann agus an Fhraing.

Beagan an iar air Le Havre, tha cladaichean Normandy far an deach an ionnsaigh mhòr a thoirt air an Fhraing ann an 1944, agus a thòisich an ruaig air na Gearmailtich a chur crìoch air a' chogadh. Bha feadhainn dhe na dùin mhòra làidir a thog na Gearmailtich ri oir a' chladaich fhathast rim faicinn, nuair a thadhal am bàta sa phort. Ach a-nis chan eil iad ach nan iongnaidhean do luchd-turais. Cha b'e sin dhaibh aig an àm a bha gunnachan mòra annta, len srònan a-mach air aghaidh a' chuain

21

gus bacadh a chur air ionnsaigh o thaobh na mara. B'e na dùin neartmhor sin a thug air ar ceannardan aig àm a' chogaidh, smaointinn air feuchainn faighinn air tìr o chladaichean Normandy, oir bhitheadh sgrios ro mhòr air ionnsaigh air port mar Le Havre. Sin mar a mhealladh na Gearmailtich, agus bha na dùin mhòra gun fheum aon uair 's gun d'fhuair an t-arm air tìr, oir cha ghabhadh na gunnachan troma an tionndadh gu aghaidh a thoirt air tìr.

Bu toigh leam fhèin cuairt a ghabhail gu àitean nam blàr aig an robh mi aig àm ionnsaigh Normandy, ach cha robh am bàta ach aon latha an Le Havre, agus an luchdadh gu bhith crìochnaichte.

A-rithist, b'e uidheaman troma airson cladhach thalmhainn ann am meinnean nickel an New Caledonia, a bha dol air bòrd còmhla ri càraichean Frangach agus sgoth-luinge no dhà a bha ri laighe air clàr-uachdair a' bhàta.

Cha robh romhainn a-nis ach aon tadhal eile a dhèanamh ann am port beag La Pallice air taobh Bàgh Biscay dhen Fhraing.

Sin far an robh àite-falaich aig na "U-Boats" Ghearmailteach aig àm a' chogaidh, agus sheòladh iad a-mach gu seòlta dhan Chuan Shiar, airson sgrios a thoirt air na cabhlaichean bhàta a bha dèanamh air puirt Bhreatainn. Bha feadhainn dhe na puinnd mhòra far am bitheadh iad a' fasgadh fhathast ri fhaicinn aig bun na h-aibhne.

Cha robh coltas cogaidh air an àite an uair ud

le bàtaichean iasgaich a' tighinn a-steach leis
na ghlac iad, agus an speur làn le eòin
a' leantainn an èisg — sealladh mar tha sinn
eòlach gu leòr fhaicinn mu ar cladaichean
fhèin.

Bha nis am bàta luchdte leis a' bhathar a bha
ri falbh às an Fhraing, agus leis na tuill air an
dùnadh dìon, 's gach nì eile deasaichte, chuir
an *Clan Alpine* a sròn dhan iar gu seòladh
tarsainn a' Chuain Shiar.

Bha sinn a' dèanamh air Baltimore an
Ameireaga, agus bha fìor dhòchas agam sgrìob
a ghabhail air tìr ann, oir 's e baile ainmeil agus
inntinneach a tha ann.

3. AN CUAN SIAR

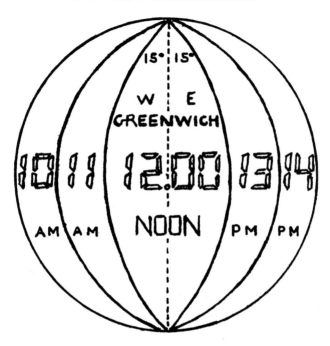

Bha i caran ceòthach nuair a dh'fhàg sinn La Pallice agus cladach na Frainge nar dèidh, agus pluban de dh'fhairge a' sguabadh on chuan fharsaing a bha romhainn. Is ann ainneamh nach eil an t-sìde neo-fhàbharach ann am Bàgh Biscay, ach leis a' bhàta air a luchdadh, bha i glè sheasmhach agus cha robh beagan luasgan na fairge a' cur dragh air aon air bòrd. Bha e math a bhith toirt aghaidh air a' chuan, oir fàsaidh maraichean searbh gu leòr de dh'ùpraid nam bailtean-puirt.

Bheireadh a' chùrsa a bhitheadh sinn ri

leantainn seachad gu tuath air Rubha Finisterre an ceann an iar-thuath nan Spainnt sinn, agus a-rithist gu tuath air Eileanan na h-Azores a tha am meadhan a' Chuain Shiar. An uairsin ghabhadh sinn tarsainn a' chuain gus an ruigeamaid Rubha Thearlaich — a' chiad shealladh a gheibheamaid de chladach Ameireaga mun tionndaidheamaid a-steach do Bhàgh Chesapeake agus baile-puirt Baltimore aig a cheann. Bha an t-astar a bha romhainn mu 3,600 mìle agus ma bha an t-sìde gu bhith nar fàbhar, bheireamaid mu naoi latha ris an turas.

Shuidhich gach aon air bòrd sìos gu obair fhèin. Sguab 's ghlan na seòladairean sìos na clàir-uachdair uile. Nigh iad gach stùr thar nam ballachan gus an robh iad a' dèarrsadh uair eile nan dreach-dhathadh geal, agus taobh a-staigh seòmraichean a' bhàta bha na stiùbhardan a' sgeadachadh 's a' lìomhadh nan clàr-ùrlair agus an airneis uile.

Shuas gu àrd air an drochaid, bhathar a' cumail sùil gheur air an radar agus an cuan mun cuairt, oir bha sinn a' seòladh tarsainn lorg nam bàtaichean a bhitheadh a' seòladh gu deas agus gu tuath seachad air Finisterre. Aon uair 's gun d' fhuair sinn seachad air an àite thrang sin, bha an cuan gu mòr againn dhuinn fhèin. Dh'fhàg sinn a' cheò nar dèidh nuair a bha sinn gu math a-mach o thìr, agus an uairsin bha an t-adhar gorm os ar cionn, agus a' mhuir socair sìtheil ach na tonnan slaodach a' luasgadh on iar.

Bha mi fhèin trang gu leòr a' cur air falbh theachdaireachdan gu ar fir-ionad anns gach àite a dh'fheumadh brath fhaotainn air cuin a bhitheadh dùil aca ris a' bhàta, ar riatasan a thaobh ola 's bìdhe, agus gnothaichean eile dhen t-seòrsa sin. Thug mi cothrom dhan fheadhainn a bha airson fònadh dhachaigh sin a dhèanamh thar na rèidio gu stèisean Portishead ann an Sasann, agus às an sin bha e furasda gu leòr fònadh a dh'àite sam bith. Bha agam ri staid na sìde air a' chuan a thogail dà uair san latha, agus fios a thoirt dhan sgiobair a' mhionaid a chluinninn iomradh air droch shìde romhainn. Cho tràth san turas cha robh mòran dhe na h-uidheaman ris am bithinn a' coimhead a' dol ceàrr, 's mar sin cha robh e riatanach ach sùil a chumail gun robh iad ag obrachadh dòigheil.

Shìos gu h-ìosal fodhainn bha an t-inneal mòr a' tionndadh rèidh gun fhois, agus na h-oifigich a' coimhead às a dhèidh a' seasamh an cuairt dhen t-saothair sin.

Co-dhiù, cha b'e obair a bha ann uile, agus nuair a bha sinn saor, chruinnicheamaid san t-seòmar mhòr a choimhead film no bhideo, a chluich chairtean, no a dh'èisdeachd ri naidheachdan an t-saoghail no ri ceòl. Bha gu leòr a dh'fhaodadh neach a dhèanamh airson an ùine a chur seachad gu inntinneach. Ma bha ùidh aig neach sam bith ri bhith ri saorsainneachd, bha rùm àraidh airson sin an deireadh a' bhàta, le gach uidheam agus seòrsa fiodha. Is iomadh sgeilp-leabhraichean, fuirm, 's rudan sam bith eile air an smaointicheadh duine, a chaidh a dhèanamh ann.

Mar a b'fhaide a bha sinn a' seòladh dhan iar, dh'fheumamaid ar n-uaireadairean a chur air ais a h-uile 15° de Longitude. Bha sin air thàillibh 's nach bitheadh a' ghrian dìreach os ar cionn gu uair an dèidh mheadhan-latha aig Greenwich sam bàta 15° san iar, dà uair air ais aig 30°, 's mar sin gu taobh eile an t-saoghail.

Nuair a chaidh sinn seachad air 20° san iar, thug e nar cuimhne an sgrios a thugar air bàtaichean sa cheart àite aig àm a' chogaidh. B'e sin cho fada 's a b'urrainn do na U-boats a dhol a-mach tràth sa chogadh a thaobh na bhitheadh iad comasach a tharraing de dh'ola. Ach mar a dh'fhàs na bàtaichean sgrathail sin na bu mhotha, 's ann a b'fhaide a sheòladh iad air feadh a' chuain. A' chiad bhliadhna no dhà dhen chogadh cha do dh'fhairich seòladairean ro shàbhailte gus an robh iad an iar air 20°, agus air an aon dòigh, bha sgrath aca tilleadh seachad air a' cheann-crìche far an robh an cunnart a' tòiseachadh.

Nuair a choimheadas sinn a-mach air a' mhuir o ar tràighean, is e ar beachd gum bu chòir do ghrunnd na mara a bhith rèidh fad bhuan an astair gu taobh eile a' chuain. Chan ann mar sin a tha e idir. Tha sgeilp mar leathad a' sìneadh a-mach o ar cladaichean gus an ruig e an doimhneachd mhòr. Is e doimhneachd

ceud aitheamh a tha air a chunntais mar
chrìoch-seilbh gach dùthaich aig a bheil muir
mun cladaichean. Sin mar tha gach dùthaich
a' gabhail còir ann an earrannan dhen mhuir
airson obair na h-ola an-diugh. Sin cuideachd
cho fada 's a b'àbhaist do iasgairean a dhol
a-mach len linn-fhada, oir b'ann air oir na
sgeilp sin a bha an t-iasgach a b'fheàrr. San
latha an-diugh tha e furasda gu leòr an
doimhneachd a leantainn le Echosounders,
ach sna sean làithean b'e eunlaith nan speur a
b'fheàrr a dhearbhadh càit an robh oir na sgeilp
aig ceud aitheamh. Bhitheadh na sean
mharaichean a' cumail sùil airson nan
sùlairean nuair a bhitheadh iad a' seòladh
a-staigh on chuan, oir nuair a bhitheadh iad
a' dol thairis crìoch nan ceud aitheamh
bhitheadh dearbhadh cinnteach aca càit an
robh am bàta — cha robh radar no uidheam
eile aca an uairsin! Dhearbh mi fhìn an
eachdraidh sin iomadh uair, a' feitheamh gus
an tigeamaid gu ceud aitheamh air an
Echosounder, agus gu cinnteach sin nuair a
chitheamaid a' chiad shealladh dhe na
sùlairean a' dol tro na stuaghannan mar
shaighead a' glacadh èisg.

Tha grunnd a' Chuan Shiar mar mhòr-thìr le
beanntannan 's ghlacan fo uisge. Tha druim
mòr a' sìneadh o Innis-Tile sìos teis-meadhan
a' Chuain Shiar o thuath gu deas. Far a bheil
bàrr nam beann sin ag èirigh àrd os cionn an
uisge, sin far a bheil na h-eileanan rim faicinn

— mar na h-Azores, Madeira, Canary Islands, Cape Verde agus Bermuda. Tha glacan domhainn an grunnd a' chuain cuideachd — beagan gu tuath air eileanan Cape Verde, agus an ear air Bermuda, tha glacan a tha còrr 's 18,000 troigh a dhoimhneachd. Tha'n glac as doimhne sa chuan beagan gu tuath air Puerto Rico, 's tha i sin còrr is 28,000 troigh. Ged a thigeadh beinn mhòr Everest a chur dhan t-slochd sin, cha bhitheadh os cionn na mara ach gurraban beag de roc.

Tha cas-shruth a' Chuain Shiar caran coltach ris an t-sruth a chì sinn ann an glumaig dha bheil sruthan a' ruith. Tha an sruth cas ri aon taobh, agus a' dol mun cuairt chun taobh eile, ach a' fàgail earrann sa mheadhan sèimh. Sa Chuan Shiar, tha an cas-sruth a' tòiseachadh san uisge bhlàth sa Ghulf of Mexico, a' sruthadh suas taobh an ear oir-thìr Ameireaga, agus tarsainn a' chuain gu ar cladaichean fhèin. An sin tha cuid dheth a' tionndadh gu deas ri oir-thìr na h-Eòrpa agus a' sruthadh tarsainn a' chuain a-rithist gu tilleadh chun a' Charibbean agus an Gulf of Mexico. Is e an sruth blàth sin a tha fàgail taobh an iar ar dùthcha fhèin cho torach le iasg agus gach seòrsa craoibh 's lus a dh'fhàsas cho lìonmhor.

Chì sinn diofar sheòrsachan feamainne 's sligean air ar tràighean nach buin idir do ar cladaichean fhèin — sin cuid dhe na thug an sruth tarsainn a' chuain o chladaichean

Ameireaga. B'e an fheamainn sin ris an do
thachair Christopher Columbus ceudan
mhìltean mum fac e tìr Ameireaga, a thog a
mhisneachd gun robh e tighinn faisg air tìr,
agus a chur crìoch air àr-a-mach sgioba a bhàta-
siùil.

A-nis, san earrann dhen chuan far a bheil an
sruth sèimh — air ainmeachadh an Sargosso
Sea eadar Bermuda agus Puerto Rico, tha an
t-uabhas feamainn 's treallaich a' chuain air
cruinneachadh, agus air thàillibh sin,
gheibhear iomadh seòrsa de dh'iasg neònach
ann a' biathadh air an fheamainn. Sin far am
b'àbhaist maraichean nam bàta-siùil a bha air
an glacadh sa chiùineas, a bhith air an
oillteachadh o na h-easgannan mòra a bha cho
pailt ann. Thug seo bun do iomadh sgeulachd
mu uile-bheistean a' chuain. Ach b'ann fìor gu
leòr a bha iad mu na h-easgannan. Is e iasg
neònach a tha anns an easgann. Fàgaidh i a sìol
san Sargosso agus nuair a thionndaidheas sin
na iasg beag, tòisichidh an imrich fhada
a' leantainn cas-shruth a' Ghulf Stream airson
trì bliadhna gus an ruig na h-easgannan beaga
na srùthain 's na lochan mu ar cladaichean
fhèin, mu àm an earraich. Bithidh iad a' fàs nas
motha fad nan trì bliadhna sin dhan triall.
Cuiridh na h-easgannan seachad eadar còig
agus fichead bliadhna dhem beatha nar
n-aibhnichean fhèin mus tig an t-àm dhaibh
tilleadh chun an Sargosso, a-rithist a' leantainn
a' chas-shruth sìos oir-thìr na h-Eòrpa. Nuair a

31

ruigeas iad an Sargosso fàgaidh iad an sìol an sin agus bàsaichidh iad. Sin mar a thachras o linn gu linn, coltach ris a' bhradan a thilleas o aibhnichean Greenland gu a shìol fhàgail nar sruthain fhèin mum bàsaich e.

Mar a thuirt mi cheana, bhitheadh eunlaith gu leòr ri fhaicinn faisg air na cladaichean, ach aon uair 's gum fàg bàta tìr, 's a tha i air a' chuan fharsaing, is e glè bheag a tha ri fhaicinn. Ach tha aon ghnè eun annasach ri fhaicinn a-muigh sa chuan eadar Madeira agus na Azores — is e sin eòin bheaga, nach eil mòran nas motha na uiseagan agus glè choltach riutha, a bhitheas a' seòladh dhà no trì throighean os cionn na mara, gun choltas gum bi iad uair sam bith a' laighe air an uisge. Is e an t-ainm a tha aig seòladairean orra, Eòin Carey — no mar a theirte orra sa Bheurla Stormy Petrel. Is iad as lugha de eòin na mara uile.

Gu math tric chithear èisg-sgiathach — tha iadsan car coltach ri sgadan agus mun aon mheudachd, ach le sgiathan tana mu shia oirlich a dh'fhad. Leumaidh iad às an uisge agus seòlaidh iad faisg air ceud slat mun till iad dhan mhuir. Tha mi glè chinnteach gun seòladh iad aig astar barrachd 's fichead mìle san uair. Nuair a tha bàta luchdte agus ìosal san uisge, nan cuirte solas air a' chlàr-uachdair, bhitheadh faisg air làn basgaid èisg a' feitheamh ri chruinneachadh sa mhadainn. Chan eil iad cho blasda ri sgadan — ach chan eil teagamh nach bitheadh duine taingeil gu leòr orra mur an robh na b'fheàrr ri fhaotainn.

Bha am bàta a' sìor dhol air aghaidh, seachad air na h-Azores agus a' tighinn na bu dlùithe air cladach Ameireaga. Thòisicheamaid ri rèidio Chanada a thogail agus na diofar stèiseanan a bha a' craobh-sgaoileadh à Ameireaga. Dh'èisd mi ri òrain Ghàidhlig agus ceòl Gàidhealach air a chraobh-sgaoileadh à Ceap Breatann, agus smaointich mi air càirdeas dhaoine an àite sin ri ar cuideachd fhèin an Alba.

An ceann naoi latha agus an dèidh turas gu math socair a thaobh na sìde, thog sinn solais Rubha Thearlaich aig ceann a-muigh Bàgh Chesapeake. Faisg air Rubha Eanruig air taobh a deas a' Bhàigh, thàinig fear-iùil air bòrd airson ar stiùireadh suas nan 170 mìle gu baile-puirt Bhaltimore aig ceann a' bhàigh, agus ceann-uidhe a' phàirt ud dhe ar turas.

4. BALTIMORE GU PANAMA

Bha an latha air soilleireachadh nuair a sheòl sinn a-staigh beul Bàgh Cheasapeake. Bha Rubha Thearlaich air an taobh an ear dhuinn, agus deich mìle chun iar-dheas dhe Rubha Eanruig, faisg air far an do thog sinn am fear-iùil. Tha drochaid mhòr air a togail eadar an dà rubha, a tha na càrn-cuimhne air nas urrainn do chinne-daoine a chruthachadh ma chuireas iad am miann ris.

Tha a' chiad earrann dhen drochaid air a togail eadar Rubha Thearlaich agus Eilean nan Iasgair, am meadhan a' chaolais, tarsainn an eilein bhig sin, agus an uairsin gu eilean beag a chaidh a chruthachadh sa bhàgh airson taic dhan drochaid. As an sin tha an rathad a' dol tro luidheir de phìob mhòr a tha laighe air a' ghrunnd san earrann 's doimhne dhen bhàgh. Thig a' phìob am bàrr air eilean beag eile a chaidh a chruthachadh a-rithist airson na drochaid, agus às an sin tha earrann eile dhen drochaid a' toirt an rathaid gu tìr aig Rubha Eanruig. Chaidh beachd air a leithid sin

34

a' phìob mhòr a chur tarsainn a' Chaolas Shasannach a-null chun Fhraing, ach bha barrachd duilgheadas ri bhith an sin a thaobh neart an t-srutha, agus leigeadh an dòigh sin à dìochuimhne.

Air an taobh an iar dhen bhàgh, goirid do Rubha Eanruig, tha bailtean-puirt mòr, Newport News, Norfolk agus Portsmouth. Tha Norfolk agus Portsmouth nam puirt-stèidhe mhòr do chabhlach-cogaidh Ameireaga. Is e Newport News fear de phrìomh phuirt Ameireaga airson togail bhàtaichean. Fhuair e ainm o sgiobair an t-soithich *Susan Constant*, a chur air tìr a' chiad dhaoine à Breatainn a shuidhich ann am Baile-Sheumais faisg air Newport News, ann an 1607. Ann am Baile-Sheumais a-nis, tha soitheach a chaidh a thogail ceart mar an *Susan Constant*, an *Godspeed* agus an *Discovery* — na bàtaichean a thug a' chiad eilthirich a dh'Ameireaga — na laighe sa phort, agus callaid 's taighean mar a chaidh a thogail ann an 1607, air an glèidheadh dìon mar chuimhneachain air eachdraidh na dùthcha. Tha Baile-Sheumais na àite air a bheil luchd-turais dèidheil.

Tha Bàgh Chesapeake 170 mìle a dh'fhad o thoiseach gu beul Abhainn Susquehanna aig a cheann. Tha meall phuirt air na h-aibhnichean a tha a' sruthadh dhan Bhàgh — Washington, prìomh-bhaile na dùthcha air an Abhainn Potomac, agus Baltimore air an Abhainn Patapsco mu cheithir mìle deug suas on Bhàgh.

Tha drochaid mhòr eile air a togail mu letheach slighe suas am Bàgh, agus àrd os cionn far am bi bàtaichean a' seòladh foipe. Tha an drochaid eadar Sandy Point agus Kent Island, agus tha i 1533 troigh a dh'fhad. Tha i air a togail eadar tùraichean a tha 354 troigh a dh'àirde, agus tha àrd de 187 troigh eadar meadhan na drochaid agus uisge a' Bhàigh tro 'm bi gach seòrsa bàta a' seòladh. Is e sealladh annasach e a bhith faicinn nan sreathan de làraidhean mòra fada air an rathad mar gum bitheadh iad shuas san adhar os cionn a' bhàta.

Mu dheireadh thall ràinig sinn ar cala am Baltimore — baile-puirt mòr mu mheud Liverpool le sluagh faisg air a' mhillean. Chaidh an Abhainn Patapsco a dhoimhneachadh agus a leudachadh airson a' phuirt a tha dusan mìle a dh'fhaid agus trì mìle a leud, a shuidheachadh. Tha e a-nis comasach air na bàtaichean as motha a làimhseachadh.

Air thàillibh 's mar a tha e suidhichte an teis-mheadhan nan taighean-ciùirde stailinn an taobh an ear nan Stàitean-Aonaichte, faisg air na Great Lakes agus achaidhean-guail nan Appalachians agus raointean àiteachais farsaing meadhan Ameireaga, tha uabhas malairt a' dol air aghaidh ann.

Is e gual, gniomhachasan iarainn 's meatailt de gach seòrsa, as motha thathar a' cur a-mach às a' phort, agus thèid ola, measan nach fàs goirid dhaibh fhèin, manganese, chrome, siùcar, 's gnothaichean eile a thoirt a-steach ann.

Aig àm an Dàrna Cogadh Mòr bha am baile ainmeil airson togail bhàtaichean — gu h-àraidh na Liberty Ships. Chaidh pàirtean de feadhainn dhiubh a thogail an taighean-ciùirde fada on mhuir, agus an uairsin chaidh gach earrann a chur ri chèile ann an gàrraidhean-luingeis a' phuirt. Mar sin bha e comasach na bàtaichean a thogail gu grad — nì a bha ro-riatanach an àm a' chogaidh le uiread air an sgrios aig muir.

Sa gheamhradh, gu math tric bithidh an t-seòlaid chun a' phuirt dùinte le deigh, ach thèid an deigh a bhriseadh sìos airson a fàgail fosgailte.

Air taobh na mara de Bhaltimore, tha Gearasdan Mhic Eanruig suidhichte, agus b'e sin an gearasdan air an do dh'fhairlich cabhlach làidir Bhreatannach buannachd fhaotainn aig àm Cogadh Saorsa Ameireaga. Fhad 's a bha an t-sèisd a' dol air aghaidh, dh'fhuaigheal caileag òg dom b'ainm Mary Pickersgill a' bhratach ainmeil a sgaoil gu uaibhreach os cionn a' ghearasdain. B'e sin a thug air Francis Scott Key an t-òran 'The Star-Spangled Banner' a sgrìobhadh, agus is e sin tàladh-nàiseanta na dùthcha an-diugh. B'ann am Baltimore cuideachd a rugadh an sgrìobhaiche ainmeil Edgar Allan Poe.

Is e baile e a tha loma-làn de eachdraidh agus b'fhìor thoigh leam fhèin barrachd ùine a bhith agam airson a shiubhal gu lèir, ach cha robh sin ri bhith agam.

Cha tug an obair a' luchdadh a' bhàta fada oir cha robh mòran ri thogail ach tuilleadh de uidheaman troma airson cladhach-thalmhainn a bha ri tharraing gu New Caledonia, agus luchd de charbadan airm 's innealan troma dhen t-seòrsa sin a bha sinn ri thoirt gu Puerto Rico. Bha an t-àm sròn a' bhàta a thoirt air muir uair eile. Sheòl sinn sìos am Bàgh Chesapeake, agus thionndaidh sinn gu deas a' dèanamh air baile-puirt San Juan ann am Puerto Rico.

PUERTO RICO

Mar a b'fhaide a sheòl sinn gu deas seachad eileanan Bermuda, 's ann bu bhlàithe a bha i a' fàs agus an cuan gorm sèimh romhainn. Chuir sinn dhìnn ar trusgain throma agus chuir sinn oirnn an t-aodadh aotrom geal a bu fhreagarraiche airson na sìde. Thòisich gach aon air an seòmraichean fhàgail nuair a bha iad saor o obair agus a dhol a-mach air a' chlàr-uachdair dhan ghrèin agus a bhogadh san amar.

Bha am bàta a' seòladh a-nis tron Ghulf Stream agus bha an t-uabhas fheamainn bhuidhe air bhàrr na fairge. Bhitheadh cuid dheth air a thilgeadh suas air cladaichean ar n-Eileanan Siar ri ùine.

Tha eilean Puerto Rico air fear dhen t-sreath a tha a' sìneadh eadar Florida agus ceann a

tuath Ameireaga-a-Deas, agus a tha na
fhasgadh dhan Charibbean on Chuan Shiar.
Tha e suidhichte eadar 17.53 tuath agus 18.31,
agus eadar 65.35 's 67.17 san iar co-ionann
Greenwich.

Tha meadhan an eilein garbh agus
beanntach le beanntan nas àirde na 4,000
troigh. Tha gleanntan torach eadar na
beanntan, agus raointean àiteach ri oir
a' chladaich mun cuairt an eilein, ach tha na
beanntan ag èirigh cas bhuapa sin. Tha mu dhà
mhillean de shluagh san àite — a' chuid as
motha dhiubh do shliochd Spàinnteach-
Ameireaganach. Tha an t-eilean fo ughdarras
nan Stàitean-Aonaichte, agus is e am port, San
Juan, fear de àitean-stèidhte a' chabhlach-
chogaidh, agus am port as motha san eilean.

Ràinig sinn San Juan sa mhadainn an dèidh
an turais ghoirid à Baltimore, nach tug ach trì
latha gu leth a dh'ùine.

Bha dùn mòr cloiche follaiseach aig gach
ceann dhen t-sean bhaile — fear dhiubh
Castillo Morro agus am fear eile Fuerto San
Cristobal. Tha balla àrd a' ruith eadar an dà
dhùn ag èirigh cas ri taobh a' chladaich. Ga
amharc, bheireadh e beachd do dhuine
daingneachd an àite an aghaidh ionnsaighean o
na spùinneadairean a bha seòladh feadh
a' chuain, aig àm nan Spàinnteach aig an robh
seilbh air an eilean.

Bha taighean san t-sean earrann
Spàinnteach dhen bhaile air an togail an dòigh

nan Spàinnteach le ballachan geala agus sgàil-
thaighean grinn. Ach b'e mo bheachd nach
robh an coltas cho sgiobalta agus a bha iad
uaireigin. Cha b'e sin e dhan earrann dhen
bhaile san robh na Ameireaganaich
a' còmhnaidh. An sin bha taighean mòra àrda
mar tha àbhaisteach do na Ameireaganaich a
thogail, agus bùithean de gach seòrsa. Shaoil
mi gun robh am prìsean glè àrd a rèir prìsean
nar bùithean fhèin aig an àm, ach sin cor an
t-saoghail ge b'e àit' air bith an tig duine.

Chan eil mòran bathair a' dol a-mach às an
eilean, ach siùcar, molasses, cofaidh agus
tombaca. Feumaidh iad mòran dhe na
dh'ùisinnicheas iad a thoirt a-steach, a' chuid 's
motha dhe à Ameireaga fhèin. An lùib sin
feumaidh iad fiodh, leathar, innealan 's
uidheaman, feòil agus iasg-sàillte, agus aodach
a cheannach o àitean a-mach air an eilean.

Cha robh luchd-obrach a' phuirt fada a' cur
a-mach a' bhathair airson an eilein às a' bhàta,
agus mar sin sheòl sinn a-rithist gun dàil.

Nuair a dh'fhàg sinn San Juan lean sinn oir
a' chladaich a dh'ionnsaigh a' chaolais eadar
Puerto Rico agus an Dominican Republic.

Aig àmannan eile dhen bhliadhna,
bhitheadh an speur soilleir agus am muir gorm
socair sa Charibbean, ach on a b'e deireadh an
fhoghair e agus an t-àm a b'àbhaist na
stoirmean mòra tòiseachadh 's na cearnan ud,
cha robh e na iongnadh gu robh coltas gaillein
a' togail air an ear dhuinn. Mar sin bha an

40

speur dubh gruamach le dealanaich 's
tairneanaich, agus am muir a' sìor fhàs
luasganach.

Co-dhiù, cha robh sin a' dol a chur dragh
oirnn oir bha sinn a' seòladh a-mach à rathad
na stoirme, agus cha robh an t-astar gu
Christobal — am port air taobh a' Charibbean
dhen Phanama Canal — mòran 's naoi ceud
mìle, 's cha toireadh e ach beagan 's dà latha a
sheòladh.

AM PANAMA CANAL

Dh'acraich sinn an acarsaid port Christobal
còmhla ri sreath bhàtaichean eile a' feitheamh
dol tron chanàl, agus fhuair sinn ola agus uisge
a thoirt air bòrd o bhàta-leasachaidh, a
chumadh a' dol sinn air an astar fhada tarsainn
a' Chuain Shèimh. Thàinig ar fear-ionad air
bòrd le bad litrichean a bha gu math taitneach
le naidheachdan air gu dè cor an fheadhainn a
dh'fhàg sinn nar dèidh aig an taigh. Bhitheadh
cothrom againn ar litrichean fhèin a chur air
falbh gam freagairt, nuair a thigeadh an ath
fhear-ionad air bòrd aig ceann eile a' chanàl,
agus phostadh e iad dhuinn, oir cha robh
cothrom againne faighinn air tìr. Co-dhiù, is e
sin an dòigh as fhasa do sheòladairean an
litrichean a phostadh o àitean coigreach air
feadh an t-saoghail.

Thàinig fir-iùil air bòrd aig Cristobal, agus
sheòl sinn a-steach dhan chaolas gu Gatun.
Tha na ceumannan aig Gatun nan dà shreath

41

airson bàtaichean a' dol suas, agus feadhainn a' tighinn a-nuas, a làimhseachadh aig an aon àm. Nuair a chaidh am bàta againne a-steach dhan chiad cheum, dhruid an geata air ar cùlaibh, agus bha sinn mar gum bitheadh ann an slochd mhòr dhomhainn, a tha mìle troigh a dh'fhad agus 110 troigh a leud. Fad 's a bha sinne san t-slochd sin, chitheamaid bàta mòr eile sa cheum a b'àirde air a rathad a-nuas, agus b'e sealladh annasach e ga faicinn mar gum bitheadh shuas san adhar.

Leigear an t-uisge a-staigh dhan t-slochd san robh sinne, agus dh'èirich am bàta suas mu dheich troigh air fhichead ann am mionaidean, gu àirde an ath cheum. Dh'fhosgail an geata sin agus shlaod ceithir carbadan mar tractaran mòra air strìochan iarainn mar strìochan trean sinn a-steach dhan ath cheum. Bha dà charbad air gach taobh dhìnn — aig an toiseach agus aig an deireadh. Chaidh sinn tro na trì ceumanan ann an ùine anabarrach fhèin luath, agus an uairsin bha sinn a' seòladh tron Ghatun Lake — mar loch nàdarra sam bith.

Lean sinn a' chùrsa a bha air a dheagh chomharrachadh fad nan còig mìle fichead gus an do ràinig sinn beallach Gaillard. B'e sin an earrann a bu duilghe a thogail dhen chanàl uile, oir b'eudar gearradh tro bheinn airson fad ochd mìle.

Air gach taobh dhen chanàl chithinn beanntan àrda còmhdaichte ann an coilltean teann gorm. Bha bailtean beaga sgaoilte an

siud 's an seo — a' chuid bu mhotha dhiubh
àitean còmhnaidh an t-sluaigh a bha ag obair
mun chanàl.

An dèidh Gaillard fhàgail, chitheamaid an
Cuan Sèimh romhainn san astar, agus baile
Balboa aig bun a' chanàl. Ràinig sinn an ath
shreath de cheumannan a bheireadh sìos gu ìsle
na mara sinn. Bha iad sin aig Miraflores, agus
chaidh sinn tromhpa cheart cho luath 's a
dh'èirich sinn chun na h-àirde aig Gatun.

Bha baile mòr Balboa sgaoilte fodhainn le
thogalaichean geala a' dèarrsadh sa ghrèin.
Tha an canàl air fad mu leth cheud mìle, agus
thug e faisg air ochd uairean a dhol troimhe —
ach bu bheag sin seach an t-astar a dh'fheumte
a sheòladh mun cuairt Cape Horn mun robh e
ann.

Tha drochaid mhòr àrd os cionn na mara air
a togail tarsainn beul a' chanàl aig Balboa,
airson charbadan de gach seòrsa a' ruith
tarsainn na dùthcha. Is e ainm na drochaid, an
Thatcher Ferry Bridge.

Ma sheallas duine dlùth air map dhen àite, is
e nì glè annasach amharc gu bheil toiseach
a' chanàl air taobh a' Chuain Shiar, seachd
mìle fichead nas fhaide dhan iar na tha an
ceann eile air taobh a' Chuain Shèimh. Tha sin
air thàillibh 's gun deach a thogail far a bheil
fearann an tairbeirt a' lùbadh.

Bha am bàta a-nis a' seòladh a-mach à Bàgh
Phanama agus a' dèanamh cùrsa dhan iar air
Eilean Tahiti a bha 4,570 mìle romhainn.

5. AN CUAN SEIMH

Sheòl sinn a-mach à Bàgh Phanama am meadhan an fheasgair, 's a' ghrian a' dèarrsadh à speur ghorm gun neul ri fhaicinn. Bha baile-puirt Balboa le thogalaichean àrda geal mar dhealbh nar dèidh, agus an acarsaid làn le luingeas de gach seòrsa, agus bàtaichean mòra loma-làn bathair à Seapan agus taobh siar Ameireaga, a' dèanamh air a' chanàl. Bha a' mhuir ciùin agus sìtheil romhainn. Ma tha an Cuan Siar farsaing, chan eil e ach trian de leud a' Chuain Shèimh, 's mar sin bha sgrìob fhada romhainn gar toirt na b'fhaide o na cladaichean air an robh sinn eòlach.

Is e cuan farsaing uaigneach a tha sa Chuan Shèimh. Cha robh dùil againn mòran bhàtaichean fhaicinn air a' chùrsa a bhitheadh sinn a' leantainn, ach corra thè a' tilleadh à Astrailia agus New Zealand. A-rithist, mar a b'fhaide a bha sinn a' seòladh o thìr, 's ann bu duilghe stèiseanan a thogail air an rèidio ach air an 'Short Wave'. Cha togamaid naidheachdan

à Breatann ach aig àmannan àraidh dhen latha
oir cha robh iad air an craobh-sgaoileadh ach
aig na h-àmannan a bhitheadh barrachd
cothrom an togail air an taobh ud dhen
t-saoghal. Thogamaid naidheachdan à
Ameireaga agus beagan à Astrailia, ach
b'fheàrr leis an sgioba uile naidheachdan on
dùthaich fhèin. Mar sin, thòisich mi air duilleag
naidheachd a chlò-bhualadh dhaibh a h-uile
latha, oir bha barrachd cothrom agamsa, leis
na h-uidheaman a bha an rùm an rèidio,
gnothaichean an t-saoghail a leantainn, gach
iomradh a thogainn air an t-sìde romhainn,
agus bàtaichean eile faisg oirnn. Gu math tric
bhitheadh caraid aig cuideigin air bòrd tè dhe
na bàtaichean a' seòladh à Astrailia, agus bu
mhath leotha cothrom fhaotainn air bruidhinn
riutha. A bhàrr air an sin bha agam ri brath a
chur gu ar fir-ionaid anns gach àite romhainn,
agus ar n-oifis air ais an Lunnainn gach latha,
airson 's gum bitheadh fios aca ciamar a bha
sinn a' dol air aghaidh.

Tha an t-uabhas eileanan sa Chuan Shèimh.
Tha sin air thàillibh 's gu bheil sreathan
bheanntan air grunnd a' chuain, mar a tha sa
Chuan Shiar, agus far a bheil na beanntan sin
àrd, sin far a bheil iad a' tighinn am bàrr nan
eileanan.

Tha druim fada a' sìneadh o oir-thìr
California, ach tha sreathan dhromannan eile o
thaobh an ear Seapan agus Sìona a' sìneadh
a-mach gu mu mheadhan a' chuain, agus sin

far a bheil a' chuid as motha de grunnan
eileanan. A bhàrr air na h-eileanan a rinn bàrr
nam beanntan sin, chaidh mòran eile a
chruthachadh o na beanntan-theine a bha
a' spreadhadh agus a' brùchdadh an stùr agus
na creagan on ghrunnd. Chruinnich na
biastagan-slige mar a' choireal a tha cho
lìonmhor san uisge bhlàth, mu na sgorran sin,
agus tro na mìltean de linn chruthaich iadsan
na h-eileanan gorma len tràighean geala mìn a
tha cho pailt sa Chuan Shèimh. Is e an diofar a
tha eadar na h-eileanan a chaidh a
chruthachadh on choireal agus iadsan a tha
mar bhàrr nam beanntan agus an fheadhainn a
chruthaich spreadhadh nam beanntan-teine,
gu bheil eileanan a' choireil ìosal agus air an
cuairteachadh le tràighean geala, fad 's a tha
càch ag èirigh àrd nam beanntan cas às
a' mhuir. Bheireadh ar turas sinn seachad air
gach seòrsa dhe na h-eileanan sin.

NA GALAPAGOS

Air an treas latha an dèidh dhuinn Panama
fhàgail, chaidh sinn seachad faisg air eileanan
na Galapagos. Tha mu naoi eileanan mòra sa
chruinneachadh sin, agus tòrr de dh'eileanan
beaga nam measg. Tha am fear as motha mu 75
mìle a dh'fhad, agus b'e Albermarle an t-ainm
a thug na maraichean a chunnaic e air, agus
thug iad ainmean mar Indefatigable, Chatham,
Hood — ainmean am bàtaichean agus an
uachdarain, air na h-eileanan mòra eile. Is ann

aig dùthaich Ecuador a tha seilbh air na Galapagos a-nis, agus dh'atharraich iad an ainm gu Archipelago de Colon, agus tha ainmean nan eilean uile air an atharrachadh gu ainmean Spàinnteach.

Cha deach mòran dhaoine a dh'fhuireach annta riamh, 's mar sin tha iomadh gnè bheathach fiadhaich ma sgaoil annta — sligeanaich a tha anabarrach mòr, a thug an ainm Spàinnteach, Galapago (tortoise), dha na h-eileanan sa chiad dhol a-mach, iguanas, ròin agus iomadh seòrsa eun nach eil àbhaisteach fhaicinn an àitean eile.

Bhitheadh na h-eileanan nan àite tadhail agus falaich aig na spùinneadairean a bhitheadh a' sgrios nan soitheachan a bha a' seòladh taobh siar Ameireaga-a-Deas, agus tro na linntean leig iadsan caoraich 's gobhair, cait 's coin ma sgaoil, agus tha an sliochd-san a-nis fiadhaich agus lìonmhor air feadh gach eilean.

Chan eil ach beagan 's mìle gu leth sluagh a' còmhnaidh san àite a-nis, agus is ann eadar e 's Ecuador as motha tha a' mhalairt a tha a' dol air aghaidh. Is e cofaidh, siùcar agus measan as motha tha na h-eileanan a' fàs.

AN RIGH NEPTUNE AIR BORD

Nuair a dh'fhàg sinn na Galapagos nar dèidh, chaidh sinn tarsainn cearcall-meadhain an t-saoghail. A-nis tha e na chleachdadh aig muir gum feum neach sam bith nach robh riamh

roimhe tarsainn a' chearcaill sin, a dhligheadas
a ghealltainn do Neptune, Rìgh na Mara, agus
mura tèid sin a dhèanamh gum faod na
maraichean dùil a bhith aca ri fearg mhosach
an Rìgh a chuireas stoirm agus gailleann nan
rathad.

Bha dithis òganach againne air bòrd air an
ciad turas gu muir, agus cha b'ann le miann sam
bith a bha iad a' feitheamh ris an deuchainn
tron deidheadh iad airson iad fhèin ullachadh
gus tachairt ri Rìgh Neptune. Chaidh iad am
falach, ach cha ruigeadh iad a leas, oir chan eil
mòran oisinn ann am bàta nach gabh siubhal.

Fhuaireadh grèim orra, agus len làmhan air
an ceangal air an cùlaibh, chaidh an rùsgadh
agus an gruag a lomadh gu bhun. Chaidh an
uairsin an teàrradh le ola dhubh 's dathan eile,
agus shuidh iad sìos mu choinneamh an Rìgh a
bha còmhdaichte na chrùn de dh'fheamainn
agus feusag fhada chun an làr, agus cleòca mòr
air a ghuaillean. Bha cùirtean an Rìgh nan
seasamh air gach taobh dheth a' leughadh
a-mach a h-uile lochd ma b'fhìor a rinn na
balaich riamh. B'e an dìoghaltas airson sin,
bucaidean dhen h-uile treallaich a bha an
còcaire a' dol a thilgeadh air falbh, a dhòrtadh
air an cinn. Bha aca an uairsin ri dhol air an
gluinnean agus gealltainn do Rìgh Neptune
gum b'ann dhasan a bhitheadh iad tuilleadh
dligheach. Bhitheadh na balaich ro-thaingeil
nam b'e sin crìoch an dìol, ach bha fhathast aca
ri bhith air am bogadh le bucaidean uisge. B'e

spòrs e dha na bha a' coimhead an dol air
aghaidh, ach bha an dithis bhalach toilichte
gun robh an deuchainn seachad. Chan eil
teagamh nach tigeadh an latha a chuireadh
iadsan cuideigin eile tron aon deuchainn gun
mòran iochd a shealltainn dha!

Co-dhiù, aig deireadh an latha, thug an Rìgh
teisteanas a bha da-rìribh air a dhealbhachadh
gu snasail do na balaich, a' dearbhadh gun
robh iad a-nis nam fìor mharaichean a
dh'fhaodadh cuantan an t-saoghail a shiubhal
mar bu thoigh leotha. Chan eil mòran
mharaichean a chaidh tron aon deuchainn nach
eil gu math moiteil às an teisteanas a fhuair e
fhèin aig an àm.

EILEANAN A' CHUAIN SHEIMH

Bha'n t-sìde blàth grianach, agus bha gach
neach nach robh ag obair gu h-ìosal sa bhàta, ri
fhaicinn a-muigh air a' chlàr-uachdair. B'e sin
cothrom nan seòladairean gach crann 's
earrann de uachdar a' bhàta a sgeadachadh às
ùr na dhreach-dhathan sònraichte, agus bha an
luchd-inneal trang a' leasachadh gach uidheam
a bhitheadh ri ùisinneachadh airson
a' bhathair a làimhseachadh. Bha gach aon air
fàs dearg le teas na grèine. Bha taobh a-staigh
nan seòmar fionnar, agus eadhon fuar an dèidh
a bhith a-muigh an teas na grèine, ach bha sin
math airson biadh ithe le tlachd, agus airson
cadal. Mun deach na h-innealan a dhèanamh
airson taobh a-staigh seòmaran bhàtaichean a

chumail fionnarach, bha iad mar àmhainn theth le uiread a dh'iarainn mun cuairt, anns an robh a h-uile duine a' sruthadh fallais fad bhuan an latha, 's nach robh miann air biadh ith no cadal fhaighinn. Dh'atharraich sin a-nis uile, agus gu dearbh cha b'ann ro luath, oir is e gnothach 's riatanaiche aig muir. Tha nis fuarain anns am faighte uisge fuar suidhichte air feadh gach bàta airson deoch fhionnar òl nuair a tha sin a dhìth air neach.

Nuair a dheidheadh a' ghrian fodha aig deireadh an fheasgair, dh'èireadh oiteag bheag gaoithe a bha fionnar, taitneach. Sin nuair a bhitheadh e math sùil a thoirt air an adhar agus feuchainn ri na reultan aithneachadh, 's iad a' dèarrsadh san speur shoilleir gun neul gam bacadh. Tha e na eachdraidh aig muir cuideachd, ma chumas duine sùil gheur air a' ghrèin a' dol fodha sa chuan, gum faicear i na ball mòr dearg gus a' mhionaid a thèid i à sealladh, agus an uairsin tha i a' tionndadh uaine. Dh'fhairlich orm fhèin sin a dhèanamh a-mach riamh, ach chan eil sin ag ràdh nach bi e tachairt!

Leis gach latha a bha sinn a' sìor dol air aghaidh, bha sinn a' dol na b'fhaide dhan iar, agus le cur ar n-uaireadairean uair air ais gach 15°, bha ar latha-sa a' tòiseachadh nuair a bha an oidhche a' tuiteam, air ais am Breatann.

Tha eileanan a' Chuain Shèimh cho fìor lìonmhor agus sgaoilte air feadh a' chuain o Seapan gu na Philippines, agus cho fada air falbh ri Eilean na Caisg (Easter Island) na theis mheadhan. Tha na h-eileanan sin air an roinn nan trì earrannan sònraichte, a rèir an suidheachaidh agus nàdar an t-sluaigh a bha a' còmhnaidh annta o chèin.

Is e Melanesia (Eileanan nan daoine dubha) a theirear ris a' chiad earrann a tha sìneadh o na Philippines sìos dhan ear-dheas cho fada ri New Zealand, agus nam measg sin tha eileanan mòra mar New Guinea. San earrann mhòr sin, tha cnapan de dh'eileanan beaga mar na Solomons, Fiji, New Hebrides, New Caledonia agus na Loyalty Islands.

Tha muinntir nan eileanan sin dubh le bilean tiugha agus gruag dhualach mar sluagh nàdarra Papua. Nuair a nochd a' chiad theachdairean-creideimh nam measg, chuir muinntir nan eilean gu bàs iad len gathan puinseanta — ach gu fortanach, chan eil iad cho fiadhaich ri sin an-diugh.

Gu tuath air an earrann sin, tha cnapan de dh'eileanan beaga ris an cainnte Micronesia. Tha a' chuid as motha dhuibh sin ìosal air an cruthachadh leis na biastagan-coireal tro na mìltean linntean. Tha iadsan furasda an aithneachadh on a tha iad cho cruinn len cearcall de thràigh gheal mun cuairt orra, agus an toradh cho gorm. Tha feadhainn eile dhe na h-eileanan àrd le beanntan biorach a dh'èirich às a' mhuir o spreadhadh nam beanntan-theine. Is e feadhainn dhe na grunnan eileanan beaga sin, na Marianas, Palau, Caroline,

Marshall agus Gilbert.

B'e fìor dheagh mharaichean a bha am muinntir nan eileanan beaga sin, ach chan eil e na iongnadh gu bheil an sluagh a-nis dhen h-uile gnè sliochd — dubh, donn agus buidhe, a rèir nan àitean on tàinig iad, mar Malaya, Sìona agus Papua.

Tha an còrr de na h-eileanan am meadhan a' Chuain Shèimh air an ainmeachadh Polynesia. San earrann seo, tha Hawaii, Samoa, Ellice, Tonga, Cook, Society, na Marquesas agus New Zealand. Is e diofar gnè dhaoine a tha sna h-eileanan sin — tha iad nas gile agus nas àirde na càch. A rèir eachdraidh, b'ann à Asia a thàinig an sluagh seo an toiseach, a' seòladh tarsainn a' chuain ann an curachain. Ach tha beachdan eile ag ràdh gum b'ann o mhòr-thìr Ameireaga-a-Deas a thàinig a' chiad dhaoine a bha teicheadh o gheur-leanmhainn nan Incas. Chaidh sin a dhearbhadh ann a 1947 nuair a sheòl Heyerdahl agus a chòignear chompanach o chladach Peru air ràth (a dh'ainmich iad *Kontiki*) air a dhèanamh le fiodh balsa, mar a dh'ùisinnich cuideachd Pheru o shean. Leig iad leis an t-sruth agus a' ghaoith an tarraing gus an do ràinig iad Raroia — fear de dh'eileanan Pholynesia, a' dearbhadh gu cinnteach gun robh e comasach do na maraichean o shean a leithid a thuras a leantainn.

Nuair a ruigeadh na daoine sin na h-eileanan sa chuan, gheibheadh iad iad torach a thaobh bìdh agus èisg, agus tha e cinnteach gur e sin a thug orra an dachaighean a dhèanamh annta. Tha an coconut-palm a' fàs cho lìonmhor air a feadh uile, agus bhuaipe thig biadh, deòch, agus na meangain 's duilleagan fada leis an gabh taighean aotrom còmhnaidh a thogail agus an tughadh. A-nis tha na cnòthan air an tiormachadh agus air an reic feadh an t-saoghail airson na h-ola a tha annta, leis an dèanar leithid siabann, coinnealan, agus iomadh seòrsa ìme.

Tha an t-sìde ann an eileanan a' Chuain Shèimh fàbharach san fharsaingeachd, oir ged a tha iad cho faisg air teas cearcall-meadhan an t-saoghail, tha gaothan na mara gan dèanamh fionnarach agus taitneach airson fuireach annta.

B'e na Portuguese a' chiad mharaichean às an Roinn-Eòrpa a sheòl dhan Chuan Shèimh a' leantainn orra o chladaichean Afraca, ach b'e Ferdinand Magellan, a' chiad fhear a sheòl ann an 1520 mun cuairt ceann a Deas Ameireaga agus a thug ainm dhan chaolas uaigneach eadar beanntanan àrda èigheach Tierra del Fuego agus mòr-thìr Ameireaga-a-Deas. As an sin, sheòl Magellan tarsainn a' chuain cho fada ris na Philippines, ach cha do mhothaich e do mhòran dhe na h-eileanan eile idir air a thuras.

Tha seilbh nan grunnan eilein sa Chuan Shèimh fo nàiseantan Ameireaga, Bhreatann, an Fhraing, Astrailia, New Zealand agus

Seapan, ach tha a' chuid mhòr dhuibh a-nis nan rìoghachdan saor leotha fhèin.

B'e eilean beag coireil de bhuidhean nam Marquesas a' chiad sealladh a fhuair sinne air tìr air ar turas tarsainn a' chuain. Bha sin aig 10° deas agus 140° dhan iar. Sheòl sinn glè fhaisg air, agus chitheamaid am pailteas chraobhan gorma os cionn na tràghad mhìn ghil a bha na cearcall mun cuairt air.

Eadar na Marqesas agus na Society Islands, cha robh latha nach deach sinn seachad air an t-uabhas eileanan beaga coltach ri chèile. Air feadhainn dhe na tràighean chitheamaid sreathan de churaichean a chaidh a thogail o stocan chraoibhean, agus iasgairean a' cur an linn an òrdugh. Bha an t-adhar làn le eunlaith de gach gnè uair eile, agus b'e sealladh furanach am faicinn an dèidh fàsach a' chuain.

TAHITI

Mhothaich sinn do dh'eilean Tahiti mìltean mun do ràinig sinn faisg air, le bheanntan àrda biorach ag èirigh à meadhan a' chuain mar stìopallan eaglais. Bha cearcall de cheò bhàn air bàrr nam beann, fad 's a bha an speur gorm ciùin air gach taobh dhen chuan.

Thachair fear-iùil ruinn aig beul a' bhàigh far a bheil baile-puirt Papeete — prìomh phort an eilein — air a shuidheachadh, agus stiùir e sinn gu taobh a' chala.

B'e na litrichean bhon taigh, agus pasgan on chloinn-sgoile ann an Comar nan Allt a' chiad

rud air an tug mi aghaidh nuair a thàinig ar
fear-ionad air bòrd. Bha iadsan a-nis, an dèidh
mo thuras a leantainn thuige seo len t-sreang o
phort gu port, agus a rèir an ceistean, cha robh
teagamh nach robh iad air fàs glè eòlach air na
diofar àiteachan anns am bithinn a' tadhal,
agus caithe-beatha na bha còmhnaidh annta.

Bha na caileagan airson faighinn a-mach
mun aodach agus na fasanan a bha an
leithidean fhèin a' cleachdadh anns gach
dùthaich, agus gu h-àraidh, an robh e fìor gum
bitheadh na caileagan ann an eileanan mar
Tahiti a' cleachdadh nan còtan-feòir a chìte
ann an dealbhan. Bha iad uile airson mo
bheachdan fhaotainn air dè na h-àitean dhen
t-saoghal a b'fheàrr leam, agus diofar caithe-
beatha muinntir gach àite.

Bha na balaich na bu dèidheile air
eachdraidh mun bhàta fhèin, agus mu m' obair
air bòrd. Bha feadhainn dhuibh ag iarraidh
barrachd ionnsachaidh mu eunlaith a' chuain
agus na seòrsan annasach a chìthinn sna
dùthchannan teatha. Bha iad cuideachd
a' faighneachd mu gach seòrsa iasg — na
mucan-mara, na h-èisg chraosach fhiadhaich a
bheireadh dochann goirt air neach air am
faigheadh iad greim san uisge, agus na
leumadairean a bhitheadh a' cluich mu shròn
bàta faisg air cladaichean nan tìrean blàtha.

Bha cuid eile a' cruinneachadh
stampaichean agus dhealbhan, agus bha mi
a' dèanamh mo dhìchill sin fhaotainn dhaibh.

Thuirt aon bhalach gur mi bha fortanach a
bhith aig muir airson an cothrom a bheireadh e
dhomh an saoghal fhaicinn — cha robh
teagamh nach b'e sin a bha na mhiann fhèin a
dhèanamh nuair a bhitheadh e beagan na bu
shine!

Bha baile Papeete air a thogail aig bun nam
beann a bha nan cearcall mun cuairt a' bhàigh,
agus ged a bha deannan thogalaichean àrd ann,
cha robh a' chuid bu mhotha de thaighean ach
dhà no trì staidhrean a dh'àirde. Bha bùird
agus cathraichean a-muigh air starsaichean a
h-uile taigh, a' dearbhadh gun robh e na bu
taitneach suidhe a-muigh fo fhionnarachd na
speur, na bhith taobh a-staigh nan taighean.

Thadhail an comann againn a chaidh gu tìr
còmhla, ann an taigh-òsda às an robh
gleadhraich ciùil a' tighinn. An sin bha an
seòmar bu mhotha loma-làn. Bha luchd-turais
ann à Ameireaga a dh'aithnicheadh tu o na
lèintean dealbhach a bha orra, feadhainn o na
luingeas-shiùil às gach cearn a bha nan laighe
san acarsaid agus seòladairean Frangach. B'e
seo am port anns an robh am bàtaichean-
cogaidh stèidhichte airson coimhead às dèidh
nan eileanan a bha fon seilbh. Bha muinntir an
eilein fhèin ann cuideachd nan aodach aotrom,
dealbhaichte anns gach dath. Bha caileagan
bòidheach a' dannsa air an ùrlar nan
còtaichean-feòir agus blàth-fhleasgan
fhlùraichean mun amhaichean. Thuig mi nach
robh am fasan ud air a chleachdadh ach airson

an luchd-turais a riarachadh — glè thric mar a chì sinn na fèilidhean gan chleachadh nar dùthaich fhèin. Bha na caileagan uile cas-ruisgte a' dannsa san dòigh athaiseach a tha gnàthach an eileanan a' Chuain Shèimh.

Bha sluagh gu leòr mun cuairt na sràide, a' ceannach às na bùithean agus thuig mi gur ann às na bailtean beaga a-muigh san dùthaich a thàinig a' chuid mhòr dhuibh. Bha measan de gach seòrsa air bùird air aghaidh nam bùithean, agus clann bheaga, coin 's cait a' siubhal mar bu toigh leotha. Bha a' chlann bheaga uile cas-ruisgte, ach san tìde bhlàth ud, cha robh e na iongnadh, agus da-rìribh, 's ann a bha farmad orm nach robh mi fhèin cho sona riutha.

Buinidh eilean Tahiti don ghrunn ris an cainte na Society Isles. Tha an grunn dhuibh mu 400 mìle a dh'fhad a' sìneadh eadar an iar agus an iar-thuath. Air thàillibh 's gu bheil iad cho sgapte, tha iad air am frithealadh nan dà earrann — Iles du Vent agus Iles Sous de Vent. San earrann Iles de Vent — a tha laighe san ear-dheas dhiubh, tha eileanan Mehetia, Tahiti, Morea, Tetiaroa agus Maiao. San earrann eile tha eileanan Huahine, Raiatea, Tahaa, Bora, Maupito, Motu Iti, Scilly agus Bellinghausen.

Tha muinntir nan eilean sin de shliochd Maori o thoiseach. Tha an coltas car buidhe-geal — glè choltach ri fiamh nan daoine mun cuairt a' Mhediterranean, ged tha cuid mhath dhuibh buileach geal. Tha an t-sìde tlachdmhor fad na bliadhna, agus is e glè bheag de an-shocair sam bith a tha ri tachairt sna h-eileanan sin.

Tha eilean Tahiti glè bheanntach le beanntan còrr 's 7,000 troigh a dh'àirde — cuid mhath dhuibh a bha nam beanntan-teine uaireigin. Tha stùcan nam beanntan sin nan stoban biorach mar stìopaill eaglaisean.

Tha an sluagh a' còmhnaidh mun cuairt an eilein san earrann àitich eadar na beanntan agus oir a' chladaich. An sin tha iad a' fàs measan, siùcar agus beagan canaich. 'S e a' reic copra, vanilla agus phosphates a' mhalairt as motha ris a bheil iad. Feumaidh iad leithid uidheaman, innealan, aodach, agus gach seòrsa riatanais eile a thoirt a-steach dhan eilean airson an t-sluaigh a tha faisg àireamh 30,000.

Is e Papeete prìomh bhaile-puirt a' ghrunn-eilean ud anns an tadhal gach bàta air a turas eadar Ameireaga agus Astrailia, New Zealand agus New Caledonia, agus mar sin tha malairt gu leòr a' dol air aghaidh eadar e agus na h-eileanan beaga mun cuairt. Is e Frangais an cànan as trice a tha air ùisinneachadh a bhàrr air an cànan dùthchasach fhèin, ged tha muinntir a' bhaile fileanta gu leòr sa Bheurla.

Shìos sa chala bha an *Clan Alpine* na laighe ri taobh na laimrig, agus luchd-obrach a' phuirt trang a' toirt a' bhathair airson Tahiti aisde. Bha sreathan làraidhean trang a' slaodadh an

luchdan de bhogsaichean troma air falbh, agus
bha na carbadan a thàinig às an Fhraing, air an
cruinneachadh nan sreathan air tìr. Bha am
bàta beagan na b'aotroma san uisge mun àm a
bha i deiseil gu seòladh a-rithist.

Cha robh ar tadhal ach goirid gu leòr, ach
bha e math cas fhaighinn air tìr agus sgrìob a
ghabhail air feadh annasan a' bhaile. Fhuair
sinn cothrom ar litrichean dhachaigh a
phostadh, agus cuimhneachdain air an àite a
cheannach, agus cha robh an còrr ris ach ar
n-aghaidh a thoirt air muir, agus an ath sgrìob
fhada a bheireadh sinn gu ar ceann-uidhe ann
an New Caledonia. Bha sin faisg air 4,000 mìle
air falbh, agus deich latha eile mum
faigheamaid cas air tìr a-rithist.

TAHITI GU NEW CALEDONIA

Dh'fhàg sinn beanntan àrda Tahiti nar dèidh 's
an cuan gorm agus gu math ciùin romhainn.
Bha oiteag fhionnarach gaoithe a' sèideadh a
bha ro-thaitneach san teas, agus thill an sgioba
uile gu an obair le barrachd dùrachd an dèidh
an cridhealais agus measgachadh ri sluagh na
tìre. Nuair a tha grunn dhaoine air an cumail
a-staigh ag obair mar air bòrd bàta, tha e math
dhaibh faighinn ma sgaoil am measg sluaigh
eile airson greis. Aig muir, chan eil e furasda an
obair shònraichte a leigeil à smuain mar a
dh'fhaodas luchd-obrach air tìr a tha a' toirt an
dachaighean orra a' mhionaid a tha an latha-
obrach crìochnaichte, oir feumaidh gach neach

air bàta obair 's cadal air bòrd, agus a bhith
deasaichte leum air a chasan ma thèid nì ceàrr,
co-dhiù thachras sin air oidhche no air latha.

Sheòl am bàta tron t-uabhas eileanan beaga
gorma mun do dh'fhàg sinn grunnd nan Society
Isles. Air ar cùrsa gu New Caledonia, chaidh
sinn seachad air buidhnean eile mar na Cook
Islands, Friendly Islands agus Tonga. Cha robh
mòran annasach a' tachairt mun cuairt dhuinn,
ach an t-sìde nar fàbhar agus an cuan againn
dhuinn fhèin. B'e glè bheag a bhàtaichean a
chunnaic sinn idir, ged a bhitheadh iasgairean
gu leòr faisg air cladaichean nan eileanan nan
curaichean beaga ìosal. Chan eil teagamh nach
robh iad freagarrach gu leòr airson na fairge ud
agus furasda an tarraing gu tìr air na tràighean,
ach gu dearbh cha bu thoigh leam feuchainn ri
dhol gu muir annta mu ar cladaichean fhèin.

Bha e a' fàs na bu duilghe naidheachdan a
thogail air an rèidio à Breatann, ach mu dhà no
trì dh'uairean de thìde san latha, ach
thogamaid Astrailia agus na stèiseanan
Ameireganach air na h-eileanan sa Chuan
Shèimh furasda gu leòr. Cha tuig thu cho
dèidheil sa bhitheas tu ri naidheachdan do
dhùthaich fhèin a chluinntinn gus nach eil
cothrom agad ach ri èisdeachd ri ceòl 's
cànanan choigreach! Co-dhiù, bha mo
dhuilleag naidheachd a' cumail sgioba a' bhàta
ionnsaichte air dol air aghaidh an t-saoghail,
agus riaraichte gu leòr fad 's a gheibhinn buil
cluichean nam buill-choise san robh bàigh aca

fhèin.

An dèidh dhuinn eileanan Tonga fhàgail, thàinig sinn gun iar astar 180°. Bha ar n-uaireadairean dà uair-dheug air dheireadh air Greenwich, agus sin far a bheil aon latha a' crìochnachadh agus an ath latha a' tòiseachadh a rèir na grèine agus an uair aig Greenwich. Mar sin b'fheudar dhuinn ar latha air ar clàr-mhìosachain a chur air aghaidh aon latha. Bha sinn a' call latha dher beatha a rèir a' mhìosachain! An dèidh sin, a h-uile uair a dh'atharraicheamaid ar n-uaireadairean, b'ann air thoiseach air Greenwich a bhitheamaid.

Bha ar ceann-uidhe a' tighinn faisg oirnn a-nis, agus nuair thog sinn sealladh air eilean mòr New Caledonia, cha robh e na iongnadh gum b'e sin an t-ainm a thug Caiptin Cook air ann an 1774, oir bha e ro-choltach ri tìr-mòr na Gàidhealtachd le bheanntan àrda.

NEW CALEDONIA

Tha eilean mòr New Caledonia suidhichte mu 750 mìle an ear-thuath air baile Brisbane ann an Astrailia, agus is e an Fhraing a tha gabhail seilbh air. B'e teachdairean-creideimh — na Marists, a' chiad choigrich a dh'fhuirich ann, ann an 1840.

Tha an t-eilean beanntach, le coltas beanntan-teine a rèir am biorachais, ach chan eil beinn-theine idir ri fhaicinn ann a-nis. Air an taobh an iar dheth, tha na beanntan ag èirigh cas on chladach, ach air an taobh an ear, tha an talamh nas ìsle agus a tha coltach a chruthaich an coireil tro na linntean. Tha sin còmhdaichte le coille thiugh, a' chuid mhòr dheth de ghiuthais. Is e Mont Humboldt, 5,360 troigh, a' bheinn as àirde san eilean, ach tha an t-uabhas eile faisg air an àrd sin.

Tha glinn thorach eadar na beanntan air taobh siar an eilein, agus sin far an do shuidhich an sluagh Eòrpach am bailtean. Bithidh na glinn gorm agus fàsmhor le lusan dathach de gach seòrsa san àm dhen bhliadhna nach eil buileach cho teth, ach an còrr dhen bhliadhna tha iad donn, loisgte ach far a bheil sruthain a' ruith.

Tha an t-eilean air a chuairteachadh le sreath de sgeirean coireil eadar mìle agus còig mìle deug on chladach, agus tha sin a' toirt fasgaidh anabarrach dhan chladach air fad. Tha na bailtean-puirt air an suidheachadh far a bheil caolais fhreagarrach eadar na sgeirean coireil sin.

Tha prìomh-mhuinntir an eilein de shliochd Melanesia, agus glè choltach ri Aborigines Astrailia. Ach, le nochdadh beairteas na talmhainn ann, thàinig mòran de mhuinntir eileanan eile ann, agus a-nis tha gach seòrsa gnè dhaoine a' còmhaidh ann. Tha àireamh 63,000 a shluagh a-nis eadar New Caledonia agus na Loyalty Islands a tha fo ughdarras, ach dhuibh sin tha mu 20,000 de dhaoine Eòrpach.

Chan eil mòran bheathaichean ann a

bhuineas don eilean fhèin, ach tha eunlaith gu
leòr ann. Nam measg tha calmain,
pearraidean, gobhan-uisge, tunnagan agus an
kaju — eun nach urrainn èirigh air iteig agus
nach eil ri fhaicinn an àit' eile ach an New
Caledonia. B'àbhaist eun caran coltach ris a
bhith ann am Mauritius ris an cainte an Dodo 's
nach eil a-nis air fhàgail idir ann. Nuair a
bhitheadh na soithichean air an rathad do na
Innseachan a' tadhal ann am Mauritius airson
biadh agus uisge, bha na h-eòin mhòra sin cho
furasda an glacadh, agus le ùine cha robh aon
air fhàgail. Tha a' mhuir mun cuairt an eilein
loma-làn èisg, cuid dhuibh tha puinseanta,
agus turtuir a chithear nam pailteas mu na
cladaichean ann am fasgadh nan sgeirean
coireil.

Tha an talamh torach, agus fàsaidh cofaidh,
copra, canach, cruinneachd agus gràn
Innseanach, agus vanilla ann am pailteas. Tha
na coilltean làn de dh'fhiodh de gach seòrsa.
Mar sin, tha malairt mhòr a' dol air aghaidh
eadar an t-eilean agus na dùthchannan mun
cuairt. Nan àite sin, bheir iad a-steach
gnothaichean mar bhiadh, aodach agus
uidheaman 's innealan à dùthchannan na
h-Eòrpa agus Seapan 's Astrailia.

Cha b'e beairteas toradh na talmhainn a thug
na coigrich dhan eilean, ach am beairteas mòr a
dh'fhoillsich iad ann le a' chuid mheatailt de
gach seòrsa. Fhuaireas òr 's airgead ann, agus
meatailean mar chopar, luaidhe, iarann, gual,

cobalt, manganese agus nickel. B'e nickel, a
chaidh fhoillseachadh na bheanntan mòra a
dh'atharraich caithe-beatha muinntir an eilein.
Ach mar tha tachairt dhan ola a thathar
a' faotainn air ar cladaichean fhèin, chan e
muinntir na dùthcha fhèin a tha faighinn
fheumlas gu lèir ach na coigrich à dùthchannan
eile a tha cur an airgid san obair. Tha obair
cladhach an nickel ann an New Caledonia fo
ughdarras Comann Nickel Chanada, agus ged
nach eil teagamh nach eil sin a' toirt
buannachd mhòr dhan eilean eadar tuarasdail
's paigheadh eile dhan raighaltas, tha muinntir
an eilein mì-thoilichte gu bheil beairteas an àite
a' dol gu coigrich. Chan eil iad idir riaraichte
gu bheil an riaghaltas Frangach a' leigeil le
cùisean mar sin tachairt, agus tha iad a' sìor
iarraidh an saoradh gu iad fhèin a riaghladh.
Co-dhiù a dh'aindeoin gu dè crìoch
a' ghnothach riaghlaidh sin, tha beairteas ri
fhaotainn o na beanntan nickel a chumas an
t-eilean a' dol fad 's a bhitheas riatanas air a
leithid a' mheatailt — 's tha fios gum bi sin
airson iomadh linn fhathast.

B'ann gu baile-puirt Noumea a stiùir sinne.
Is e sin prìomh-bhaile an eilein far a bheil an
Riaghladair a' còmhnaidh.

B'e mo chiad shealladh dhen acarsaid, na
bàtaichean a bha nan laighe ri taobh na laimrig,
a bhith dearg o stùr an nickel, a bha a' dòrtadh
annta o chriosan-giùlain a bha a' ruith gun stad
on chruach mhòr de nickel a bhathar

a' cladhach à taobh beinne os cionn a' bhaile. Thuig mi gun robh a' bheinn — a shaoil mise bha uiread ri Beinn Nibheis, na cnap de nickel air fad, agus gun robh beanntan eile faisg a bha dhen aon ghnè. Bha na h-uidheaman mòra a' cladhach taobh na beinne, mar ghrunn shneaghain a' gluasad gun sguir sìos agus suas, agus iad a' coimhead cheart cho beag on astar, air aghaidh na beinne.

Thugar sinn gu taobh fear dhe na laimrigean, agus cha robh sinn fada an sin gus an robh an dath rìomhach geal a bha a' dèarrsadh sa ghrèin, fo bhrat dearg stùr nickel. B'fheudar gach uinneag 's doras a dhùnadh teann, agus gach fasgnadan a bha leigeil a-staigh na gaoithe fhionnarach a ghlasadh dheth. Le sin bha taobh a-staigh seòmraicheanan a' bhàta mar àmhainn ann an ùine bheag, agus bha gach aodach leapa 's anart-bùird uile fo sgail thana dhen stùr mhìn. An dèidh a bhith na seachdainean aig muir fo ghaoith ghlan fhionnarach a' chuain, b'e mealladh garbh e gar faighinn fhèin san t-suidheachadh ud. Co-dhiù, cha do mhair e cho fìor fhada, oir a' mhionaid a bha am bàta a bha a' luchdadh faisg oirnn aig an laimrig air a lìonadh, sguir an stùr, agus fhuair sinn beagan faothachaidh.

Fhuair sinn ar litrichean on fhear-ionad, agus bu mhath naidheachdan ar dachaighean fhaotainn. Bha tuilleadh litrichean gam fheitheamh o chlann na sgoile ag innse dhomh mar a bha iad a' faighinn air aghaidh lem

thuras thar a' chuain, agus a' faighneachd
tuilleadh cheistean mu Astrailia agus mu mo
bheachdan air an dùthaich. Cha robh iad am
beachd mòran fois a thoirt dhomh, ach gu
cinnteach bha mise mi fhèin ag ionnsachadh
barrachd 's a b'aithne dhomh roimhe lem
rannsachadh, agus bha e fàgail mo thurais gu
math na b'inntinniche na dh'fhaodadh e bhith.
Bha eachdraidh a' Chuan Shèimh agam
deasaichte airson a phostadh an Noumea, agus
cha robh agam ach stampaichean 's dealbh-
chairtean a gheibhinn air tìr a chur thuca
còmhla ris an sin.

Thòisich an obair air a' bhathar a chur às
a' bhàta, ach air thaillibh 's gun robh na
laimrigean air gach taobh dhuinn air an
ùisinneachnadh airson nam bàtaichean mòra a
bha luchdadh a' mheatailt stùrach nickel,
dh'fheumadh obair aotramachadh ar luchd-sa
sguir fad 's a bhitheadh tè dhe na bàtaichean sin
aig an laimrig. Leis an sin bha e coltach gum
bitheamaid greis mhath sa phort mun
deidheadh an obair a chrìochnachadh.

B'e cuid dhe ar bathar, uidheaman mòra
troma airson cladhach an nickel às na
meinnean beanntach, carbadan troma airson
a' mheatailt a tharraing, agus luchdan de
bhogsaichean mòra anns an robh gach gnè
uidheim ùr, aodaich, 's àirneis airson nam
bùithean.

Ghabh mi cuairt suas am baile, agus gu
cinnteach bha e taitneach stùr dearg na laimrig

fhàgail greis nam dhèidh.

Is e baile rìomhach Noumea, air a thogail mun cuairt pàirce mhòr le craobhan fàsmhor air a bheil flùran de gach dath a' fàs. Thachair gun robh seachdain de dh'fhèill a' dol air aghaidh nuair a ràinig sinn, agus leis an sin bha am baile làn de dh'òigridh às gach cearn dhen eilean. Bha brataich croichte ri gach togalach, agus bha ceòl nan eilean a' gleadhraich o gach oisean dhen àite.

Bha na daoine uile còmhdaichte anns an aodach a bu dhealbhaichte leis gach dath rìomhach air an smaointicheadh tu, agus cha robh duine dhen òigridh aig nach robh flùran na ghruaig. 'S e thuig mi, gun robh an taobh dhen ceann anns an cuireadh iad na flùran a' sealltainn co-dhiù bha iad saor sealltainn a-mach airson gaolaiche, no gun robh gràidhean aca cheana. Bha e glè shoilleir gun robh iad uile toil-inntinneach a' cluich 's a' dannsa air feadh na pàirce.

Bha na bùithean agus togalaichean malairt a' bhaile sgaoilte air sràidean mun cuairt na pàirce, agus bha cabhsairean nan sràidean air am pacadh le bùird loma-làn le gach malairt ùr a bha ri reic. Bha cuid dhe na h-uidheaman ùra a' sealltainn nach do rinn iad ach tighinn às an Roinn-Eòrpa air ar bàta fhèin. Bha sin a' dearbhadh nach robh na ceannaichean a' dol a chall leithid àm na feille airson an cuid malairt a reic. Thug mi sùil air prìsean cuid dhen mhalairt anns na bùithean, agus gu fìor

bha iad fada na bu daoire na bhitheadh iad nar
bùithean-sa. Ach nuair a thomhaiseas neach
cosgais gach nì a tharraing air an astar o àitean
cho fada air falbh ris an Roinn-Eòrpa agus
Ameireaga 's Seapan, cha robh e na iongnadh
ged a bhitheadh iad daor. A dh'aindeoin sin
cha robh cion airgid air na bha a' ceannach,
agus cha robh teagamh nach robh gach obair
mu chladhach an nickel gam paigheadh gu
riaraichte.

Bha bàgh beag eile taobh a-muigh crìochan
a' bhaile anns an robh taighean mòra riochdail
air an togail, agus gu cinnteach sin far an robh
na daoine beairteach uile a' fuireach. Bha na
taighean sin uile air an cuartachadh le
rèidhlean de dh'fheur mìn, agus flùran de gach
dath. Bha mi smaointinn gum bitheadh cuid
dhe na flùran sin bòidheach da-rìribh nar
gàrraidhean fhèin, ach cha mhaireadh iad fada
san t-seòrsa sìde air a bheil sinne eòlach.

Chaidh làithean seachad, agus bha am
bathar air a thoirt às a' bhàta beag air bheag.
Cha robh coltas cabhaig orra an obair a
chrìochnachadh, agus gu cinnteach cha robh
sin a' cur mòran dragh oirnne ach nuair a bha
smùr an nickel a' tachdadh na gaoithe a' dol
tro sheòmraichean a' bhàta. Bha cothrom gu
leòr againn faighinn air tìr a-mach o ùpraid
a' phuirt, agus bu taitneach sin a' dol am
measg an t-sluaigh agus a dh'amharc
bòidhchead an àite.

Mu dheireadh thall, bha a' chuid dhen

bhathar a bha ri dhol a-mach ann an Noumea crìochnaichte, ach bha innealan trom rin cur air tìr ann an àite eile dom b'ainm Port Boise. Bha sin mu fhichead mìle o Noumea ann am bàgh beag san robh port ùr ri thogail. Bha'n t-eilean cho coillteach agus beanntach, 's gun robh e na b'fhasa port ùr a thogail a ruigeadh bàtaichean, na feuchainn ri rathaidean ùr a thogail a bheireadh an nickel à beinn mhòr eile gu Noumea.

Nuair a ràinig sinn am bàgh sin, cha robh ri fhaicinn ach laimrig bheag aig am bitheadh birlinnean-bathar a' cur an luchd air tìr. On sin chitheamaid rathad garbh air a ghearradh à measg na coille theann, agus gun an còrr foillseachadh air togalaichean sam bith. Bha na h-uidheaman mòra a bha sinn a' dol a chur air tìr rin ùisinneachadh airson na coilltean a leagail agus an talamh a dheasachadh airson a' puirt a bha ri thogail. B'e am beachd gum bitheadh sin dèanta ann an ceithir bliadhna, agus tha mi cinnteach gu bheil baile ùr a-nis air a stèidheachadh san àite.

Dh'acraich am bàta againn, agus chuirear na h-uidheaman troma a-mach leis an inneal-thogail throm dha na birlinnean a thug chun laimrig iad. Thug an obair sin deannan làithean, oir cha b'e seòrsa obrach e a ghabhadh dèanamh ann an cabhaig, agus co-dhiù dh'fheumar feitheamh gus an tilleadh birlinn fhalamh on laimrig gus an ath luchd a thoirt gu tìr.

Mu dheireadh thall, bha am bàta falamh agus an t-àm a sròn a thoirt air an ath earrann dhen turas — b'e sin a' luchdadh a-rithist ach le diofar bathair a bheireadh i à Astrailia dhachaigh a Bhreatann.

Dh'fhàg sinn beanntan New Caledonia len coilltean teann gorma nar dèidh, agus thionndaidh sinn air cùrsa a bheireadh sinn gu Brisbane, 750 mìle air falbh. Gu dearbh bha e math stùr an nickel a ghlanadh thar chlàran a' bhàta, agus leigeil le gaoithean fionnarach sèideadh tro a seòmraichean uile. Bha an sgrìob fhada tarsainn a' Chuain Shèimh air tighinn gu ceann, agus bha cuairt de bhailtean-puirt Astrailia romhainn mun tòisicheamaid air ar turas dhachaigh a bheireadh sinn tarsainn a' Chuain Innseanach agus cladach Afraca chun Chuain Shiar uair eile.

6. ASTRAILIA

Nuair a chunnaic sinn na sreathan bheanntan fon mhuir a' sìneadh o oirthir Sìona agus Seapan sìos gun ear-dheas sa Chuan Shèimh, agus na grunnan eileanan maille ri Sumatra, Java, Borneo agus New Guinea, chan eil e doirbh a chreidsinn nach robh eilean mòr Astrailia aon uair ceangailte ri mòr-thìr Asia. Tha dromannan bheanntan Astrailia fhèin a' sìneadh o thuath gu deas air gach taobh dhen mhòr-thìr air an aon seòladh ri na sreathan eileanan sa chuan, agus tha e glè choltach gur ann dhen aon ghrunnd talmhainn dham buin iad uile.

Is e dùthaich mhòr fharsaing a tha ann an Astrailia, a' sìneadh o faisg air 10° deas gu 44° deas — astar mu 2,000 mìle. O thaobh an ear gu taobh siar na dùthcha tha i sìneadh o 153° gu 112° an ear — astar mu 2,500 mìle. Tha sin mu mheud na h-Eòrpa o thaobh siar na Spàinn gu crìoch na Ruis, agus on Mheditterranean chun a' Bhaltic — tìr mhòr da-rìribh a' toirt a-staigh

an fhearainn thorach sa cheann a deas gu
fàsach theth a' chinne-tuath.

BRISBANE

Bha am bàta a' dèanamh air baile mòr
Brisbane ann an Queensland — àite rìomhach
far a bheil an t-sìde blàth agus taitneach, ged a
tha e teth gu leòr ann san t-samhradh. Bha sinn
air a bhith a-nis san leth-chruinne dheas dhen
t-saoghal on a fhuair na h-òganaich am bogadh
a' tachairt ri Rìgh Neptune, mu mhìos air ais,
agus ged a bha sinn a-nis seachdain o
Dhubhlachd a' gheamhraidh, b'e toiseach an
t-samhraidh e san earrann ud dhen t-saoghal.

Thachair ar fear-iùil ruinn aig Rubha
Cartwright aig beul abhainn Bhrisbane, agus
sheòl e suas an abhainn sinn airson deich mìle
gus an d'ràinig sinn ar laimrig an teis-meadhan
a' bhaile. B'e sealladh anabarrach e air gach
taobh dhen abhainn a' lùbadh an siud san seo
tro dhùthaich bhòidheach. Tha am baile fhèin
air a thogail sgaoilte air gach taobh dhen
abhainn far a bheil an lùbaidhean a' toirt
aghaidh mhòr dhan bhaile ri bruachan na
h-aibhne. Tha còrr agus 621,000 de shluagh
ann, agus le a shràidean cho farsaing agus am
baile uile air a shuidheachadh cho snasmhor,
tha e sgaoilte air 474 mìle cothromach. Tha a
thogalaichean uile eadar dhà 's trì staidhrean a
dh'àirde, agus is e glè bheag dhe na spirisean
àrda a tha àbhaisteach fhaicinn ann am
bailtean eile an t-saoghail a tha ri fhaicinn ann.

Cha mhòr nach b'e sglèatan dearg a bha air na taighean uile, agus lem ballachan geala, bha iad dealbhach an dèarrsadh na grèine.

Nuair a bha cothrom againn faighinn gu tìr, cha robh e furasda ar n-inntinnean a dhèanamh suas dè an taobh a thionndaidheamaid, oir bha an t-àite uile cho furanach, agus bha uiread ann ri fhaicinn.

Ghabh mi fhèin sgrìob gu meadhan a' bhaile far an robh na seallaidhean bu riochdaile le oilthigh, Taigh Parlamaid na Stàite, a ghàrraidhean-luibheach, agus sràidean nam bùithean bu mhotha. Bha na sràidean cruaichte le daoine nan aodach samhraidh, agus gach gnùis donn agus dearg o theas na grèine. Bha na bùithean loma-làn le gach ceannachd, agus measan blasmhor de gach seòrsa.

Is e talla-mhòr a' bhaile an togalach as ainmeile a th'ann le tùr a tha 250 troigh a dh'àirde airson sealladh a thoirt air an dùthaich mun cuairt, agus da-rìribh, bha sin eireachdail a' coimhead air lùbaidhean na h-aibhne agus a drochaidean, 's a bàtaichean-aiseig a' seòladh o thaobh gu taobh. San talla-mhòr, tha àitean suidhe airson co-sheirmean a shuidheas 3,500 neach.

A' sealltainn dhan iar on tùr sin, chìthear na beanntan san astar, agus Pàirce Bhictoria — an tè as motha sa bhaile. An sin cuideachd, tha na pàircean airson gach seòrsa cluich. Gu tuath, tha an Art Gallery, agus Museum Queensland, agus an togalach as aosda sa bhaile — Taigh an Riaghladair a tha a-nis na Mhuseum Eachdraidh na Stàite.

Cha ruigeadh neach a leas fuireach sa bhaile fhèin airson a sheallaidhean a shiubhal, oir bha e furasda gu lèor falbh air cuairtean ann an carbadan a-mach às a' bhaile. Chan eil an Gold Coast, far a bheil fichead mìle de chladach rèidh cho eireachdail sa tha air an t-saoghal, ach mu leth-cheud mìle gu deas, agus an sin tha gach cothrom airson snàmh, seòladh agus gach aoibhneachd eile a tha ri fhaotainn an cois na mara.

Cha b'e latha no dhà a dhèanadh an gnothach gach àite fhaicinn, ach co-dhiù, fhuair mi fhèin beagan cothrom siubhal a dhèanamh mun cuairt deannan math dhe na seallaidhean.

Tha Stàit Queensland beairteach eadar gach seòrsa meatailt a tha ri fhaotainn ann, agus a bhàrr air an sin tha obair-gnìomhachaidhean siùcair, feòla, measan, aodaich, 's ìme 's càise a' dol air aghaidh ann. Is e fàs cuilc-an-t-siùcair an àiteach as motha tha a' dol air aghaidh ann an Queensland, agus tha mu 8,000 tuathanach aig a bheil mu thrì fichead acaire fearainn gach aoin, a' fàs mu 1,400,000 tonna siùcair gach bliadhna. Cosnaidh iad mòran beairteis on sin. Tha an dàrna leth dhen t-siùcar air a reic ri dùthchannan eile, ach ùisinnichidh muinntir Astrailia fhèin an còrr dheth, oir thathar am beachd gun caith iad barrachd siùcair na muinntir eile an t-saoghail. An àm gearradh na cuilce, anns an t-Og-Mhìos, bithidh na h-achaidhean sin air an cur nan teine, oir feumar na duilleagan a losgadh mun tig a' chuilc a ghearradh. Is e sealladh annasach sin a' faicinn na dùthcha mar gum b'eadh na theine air fad.

B'e cuid dhe na gnothaichean sin a bha am bàta a' luchdadh airson an tarraing air ais a Bhreatann. Chaidh an obair air aghaidh gu rèidh, agus an ceann dà latha bha sinn a' stiùireadh sìos an abhainn turas eile, a' dèanamh air Sydney.

SYDNEY

Cha robh an t-astar gu Sydney ach beagan 's còig cheud mìle, agus le sinn a bhith a' seòladh cho faisg air a' chladach, bha sealladh math againn dhe na tràighean geala agus raointean gorma na dùthcha, le bailtean beaga ri oir a' chladaich fad an rathaid. Bha an samhradh aca an sin, agus cha robh tràigh air nach faicte daoine, agus geòlan 's luingeas-shiùil a' seòladh rin oir.

Ràinig sinn beul a' bhàigh mun cuairt a bheil am baile air a stèidheachadh, agus stiùir fear-iùil sinn gu laimrig goirid dhan drochaid mhòr a tha tarsainn meadhan na h-acarsaid.

B'e sin am bàgh dhan do sheòl am maraiche ainmeil Caiptin Cook ann a 1770, nuair a bha e air a shiubhail airson na mòr-thìr a bhathar am beachd a bhith sa Chuan Dheas. Sheòl e staigh

am bàgh farsaing nach eil a leithid air an t-saoghal, agus dh'ainmichear an t-àite Botany Bay, air thàillibh cho lìonmhor 's a bha lusan a' fàs san fhearann riochdail mun cuairt. Thug e an t-ainm New South Wales air a' mhòr-thìr a chaidh a lorg, oir bha dealbh an fhearainn agus nam beanntan cho fìor choltach ri ceann a deas na Cuimrigh. Ghabh e seilbh san dùthaich ùr an ainm Bhreatainn.

B'e glè bheag a bheathaichean a bha idir san tìr nuair a ràinig a' chiad eilthirich e, agus bha an fheadhainn a bha ann glè annasach — mar Kangaroo, Platypus agus an Koala, gnè bheathaichean a mhair san àite on a chaidh e na eilean, o aimsir gun chunntais. Am measg an eunlaith annasach san dùthaich tha an eala-dhubh air nach robh aithne idir gus an do dh'imrich a' chiad dhaoine geala dhan àite, ach a chithear air feadh an t-saoghail a-nis air an dìon sàbhailte.

Bha muinntir-nàdarra na tìre, na h-Aborigines, car coltach ri sliochd Phapua, ach a tha nis diofraichte riutha sin. Cha robh cothrom aig muinntir an eilein measgachadh ri muinntir àitean eile, agus gun chothrom aca dòighean ùra an t-saoghail ionnsachadh, bha iad cho fada air ais ris a' phrìomh chinne-daonna, agus beò air na chladhaicheadh iad às an talamh, oir cha robh eòlas aca air àiteach fearainn. Tha cuid dhuibh fhathast a' còmhnaidh ann am fàsaichean na dùthcha, agus beò san aon dòigh san robh sinnsre o

shean, oir chan eil iad idir airson measgachadh
ris na coigrich.

Tha Sydney a-nis na phrìomh bhaile
Astrailia, agus air a thogail le taighean a tha
riochdail mun cuairt a' bhàigh mhòir, le a
chaolais 's a chamais bheaga fad bhuan mun
cuairt a' chladaich a tha 183 mìle air fad. Chan
eil oisean dhen chladach air nach fhaicear
teaghlaichean a' cruinneachadh a ghabhail
tlachd anns a' choimhearsnachd agus an t-sìde
a tha àlainn fad na bliadhna. Is e an diofar a tha
eadar cladaichean Astrailia agus cuid mhòr de
thràighean ar dùthcha fhèin, gu bheil iad saor
fosgailte do neach sam bith a tha deònach a
dhol orra. Chan e sin dha na cladaichean
againne a bhuineas do dh'uachdarain nach eil
idir deònach leigeil leis an t-sluagh coiseachd
orra.

Is e daoine aoibhneach a tha ann am
muinntir Astrailia, a dh'obraicheas trang fad
na seachdain, ach a bheir sonas nan tràighean
's nan coilltean orra aig deireadh na seachdain
len càraichean làn biadh is deoch a chumas
a' dol iad gus an till iad a dh'obair madainn
Diluain. Cha leig iad le draghan an t-saoghail
an sàrachadh, agus gu dearbh tha sin gam fàgail
nan daoine toil-inntinneach agus sona.

Chan eil e furasda dealbh a thoirt air uiread a
rìomhachd mar tha am baile Sydney, ach chan
eil teagamh nach e sealladh brèagha an
drochaid mhòr tarsainn a' bhàigh, agus an
Taigh-Ciùil neònach le mullach mar sgiathan

eala, suidhichte goirid dhan drochaid. Tha
pàircean air gach taobh, agus togalaichean
ainmeil mar Taigh na Parlamaid, an ospadal
agus talla-mhòr a' bhaile a chaidh a thogail ann
an linn Bhictoria, ach dhuibh uile is e eaglais
mhòr Naomh Sheumais, togalach cho
eireachdail 's a tha sa bhaile.

Faisg air a' bhaile, tha tràigh Bondi — sgrìob
tràighe a tha cho ainmeil agus àlainn ri aon eile
air an t-saoghal — far an cruinnich muinntir às
gach cearn airson snàmh, seòladh thairis nan
tonn a tha a' dòrtadh air a' chladach, agus
airson gach cleas a bhitheas ris ri oir na mara.

Thug mo chuairtean fhèin a-steach a
thaigh-òsda mi air feasgar, 's mi pàiteach san
teas, agus dh'iarr mi glainne leanna.
A' mhionaid a' labhair mi sin, sheall na fir air
gach taobh orm, oir thuig iad gum b'e
coigreach mi. Chan e glainne leanna a dh'iarras
duine an siud idir, thuig mi, ach schooner! Cha
robh mi nam sheasamh fada an sin gus an robh
fear rim thaobh a' faighneachd an ann à Alba a
bha mi, oir b'ann à Siorrachd Rois a thàinig a
shinnsre fhèin. B'e ainm-san Aonghas
MacCoinnich, agus cha ruig mi leas an còrr a
ràdh mun sin, oir cha robh fois agam an dèidh
sin, 's e gam thoirt mun cuairt a' bhaile
a' tachairt ri sliochd Albannach às gach cearn!

Bha sinn còig latha a' luchdadh a' bhathair
an sin — gach seòrsa mheasan, clòimh, 's
iomadh nì eile, ach mu dheireadh thall bha an
t-àm againn seòladh. Gu dearbh bha mi

smaointinn nach robh iongnadh ann gun do
chòrd an t-àite eadhon ris a' chiad chiontaich,
a chaidh air tìr ann!

Bha sinne a' dèanamh air Melbourne,
beagan 's còig cheud mìle eile air falbh, agus
leis an Nollaig a' tighinn na b'fhaisge, bha ar
luchd-seilbh airson sinn cabhag a dhèanamh
mun cuairt nam port, gus am bitheamaid air ar
rathad dhachaigh mun tòisicheadh gàirdeachas
àm na fèille sin.

MELBOURNE

Is e tha annasach mu bhailtean mòra Astrailia
suidhichte ri oir na mara, gu bheil iad uile air an
cuir air bonn aig cinn bàigh fharsaing, a tha cho
fasgach agus freagarrach do mhalairt na mara,
's a tha ri fhaotainn. Feumar cliù a thoirt dhan
chiad mharaichean a shiubhail oir-thìr na
dùthcha, agus a dh'aithnich feumalachd nam
bàgh sin airson prìomh bhailtean na tìre a
stèidheachadh.

Bha fosgladh Bàgh Phillip cumhang air
taobh na mara, ach air dhol a-steach an sin, tha
am bàgh a' sgaoileadh farsaing, dà fhichead
mìle a leud agus a dh'fhad. Tha Abhainn Yarra
a' ruith a cheann a' bhàigh, agus sin far a bheil
baile mòr Melbourne na sheasamh. Tha an
t-sìde cho stuama seach teas na dùthcha gu
tuath 's gu bheil am fearann mun cuairt ceann
an ear-dheas na tìre uile gorm agus torach, glè
choltach ri talamh ceann a deas Shasainn.

Chaidh am baile a thogail cothromach le

sràidean dìreach farsaing, agus tha a thogalaichean coltach ris an fheadhainn as eireachdaile a chì sinn nar dùthaich fhèin. Ged tha cus dhe na spirisean àrda thogalaichean ann, tha an t-uabhas a tha flàthail agus àlainn air an togail san t-sean nòs, a tha toirt sèimheachd 's urram dhan bhaile.

Tha stèisean Flinders air an t-sràid dhen aon ainm ann an teis meadhan a' bhaile, agus is i stèisean cho trang 's a tha air an t-saoghal an dèidh New York. Tha sràidean de bhùithean mòra faisg air an sin, agus togalaichean eireachdail mar Ard-eaglais Naomh Pòl agus Eaglais Naomh Pàdraig. Tha pàircean air gach taobh — tè dhuibh Gàrraidhean Fitzroy anns a bheil an taigh a bha na dhachaigh do Chaiptin Cook an Sasann. Chaidh an taigh a thoirt à Great Ayton, ann an Siorrachd York, agus a thogail a-rithist ann am Melbourne mar chuimhneachan air an duine ainmeil a lorg an dùthaich sa chiad dhol a-mach. Faisg air an sin, tha a' Phàirce Olympic a chaidh a deasachadh airson nan cluichean sin ann an 1956. Tha àitean-snàmh an sin, agus pàirce a' bhaile airson cricket — làr-cluiche cho mòr 's a tha air an t-saoghal airson a leithid a chluich. Tha taighean-ciùil 's cluich air feadh a' bhaile, agus eadar sin agus Art Galleries 's Museuman chan eil cion àitean aoidheachd 's ionnsachaidh air an t-sluagh tha fuireach ann.

Bha am bàta ri bhith seachdain a' luchdadh am Melbourne, agus ghabh mise an cothrom tadhal air eòlaich a bha a' còmhnaidh ann am baile Dandenong — fichead mìle a-mach às a' bhaile, agus càirdean ann an Yallourn còrr 's ciad mìle an ear air Melbourne.

Thug mo chàirdean air falbh an càr mi air rathad dìreach farsaing tro fhearann a bha a' coimhead torach da-rìribh. Bha àitean dheth glè choillteach, agus chunnaic mi mo chiad Kangaroo ag ionaltradh mar choineanach mòr, 's gun e a' toirt fath oirnn a' dol seachad. Ged a tha iad sin annasach an amharc, chan eil na tuathanaich idir miadhail orra, oir nì iad milleadh mar na coineanaich air ar tuathanais fhèin.

Bha tuathanais mhòr, len crìochan rèidh, air an rathad agus an taighean a' coimhead sgiobalta mar am fearann fhèin. Chaidh sinn tro bhailtean beaga le ainmean mar Berwick, Pakenham, Trafalger, Moe, agus Newborough, mun do ràinig sinn Yallourn air an Abhainn Latrobe. Bha na taighean 's na bailtean beaga sin uile air an togail nam bungalows, le pìos math fearainn airson gàrradh mun cuairt gach fear. Bha bùithean annta uile anns an ceannaichte gach nì bhitheadh riatanach, agus àitean gu leòr a bha freagarrach airson càraichean fhàgail. Bha gach àite a' coimhead cho glan agus ùr.

Ann an Yallourn, chruinnich mo chàirdean còmhla, agus bha toil-inntinn gu leòr a' dol. Bha an t-sean fheadhainn dùrachdach naidheachdan a chluinntinn mu na daoine a b'aithne dhaibh, ach cha robh mòran ùidh anns a' Ghàidhlig acasan a rugadh 's a thogadh an Astrailia. Bha iadsan airson faighinn a-mach ciamar a bha caithe-beatha muinntir Alba seach am beatha fhèin. B'e Astrailia an aon dùthaich dom buineadh iadsan, ach bha iad moiteil gu leòr nan ainmean Gàidhealach. Cha b'urrainn dùthaich air an t-saoghal a bhith na b'fheàrr na Astrailia nam beachd-san.

Thug fear dhuibh air chuairt mi feadh na dùthcha sin, agus gu dearbh, cha robh iongnadh ann ged a bha iad moiteil às. Bha tuathanais, le crodh air an robh dromannan sleamhainn on deagh ionaltradh, air gach taobh, agus cha robh oisean fearainn nach robh air a dheagh àiteach. Mhothaich mi do thractaran 's gach uidheam a chuireadh tuathanach gu feum, air gach sgrìob fearainn.

On sin thug e cuairt mi gu na meinnean-guail a thathar a' fosgladh mun cuairt baile Yallourn. Chan e gual mar 's aithne dhuinne e idir, ach mòine. Chan ann le spaid no toirsgeir a tha a' mhòine air a cladhach, ach le uidheaman mòra a tha sliseadh na talmhainn mar chnap càise, sìos gu doimhneachd còrr 's ceud troigh on bhàrr.

A' sealltainn air an taobh dhen talamh a chaidh a shliseadh, chithinn na diofar shreathan thalmhainn a chaidh a chruthachadh tro mhilleanan bliadhna. Fhuair mi pìosan fiodha de ghiuthais-Maoiri, a bha fhathast gun chrìonadh, a thugar às na sreathan ìosal. Maille ris an sin bha cnapan de dhuilleagan a thàinig on chraoibh on tàinig an crann-olaidh is aithne dhuinn an-diugh, agus seòrsan eile fiodh a bha iad am beachd a bha fichead milleann bliadhna a dh'aois. Thug mi iad sin air ais chun na sgoile ann an Comar nan Allt.

Tha an gual donn air a' luchdadh air criosan-giùlain a bheireas e dìreach gu àite-gnìomhachais mòr far a bheil e air a phronnadh agus a thiormachadh na smùr mìn. Thèid an smùr tioram sin a shìobadh a-staigh a dh'àmhainnean mòra agus tha e mar ola a' cumail nan teintean dearg teth. Tha an t-uisge a tha na fuirneisean sin a' goil na smùid, a' tionndadh nan inneallan a tha dèanamh an dealain a tha cumail gnìomachasan na Stàite a' dol.

Thèid cuid dhen smùr a dhèanamh na fhòid ghuail (no mòine) ann an dà thomhas — cnapan beaga airson fuirneisean, agus seòrsa eile nas motha airson teintean thaighean-còmhnaidh. Losgaidh na cnapan gun toit oir tha an t-uisge air a thoirt asda, agus le glè bheag smùr, ach le fìor dheagh theas. Is neònach nach eilear a' dèanamh a leithid air na mòintichean farsaing nar dùthaich fhèin far a bheil mòine gu leòr ri fhaotainn. Tha an gnìomhachas sin, agus obair an dealain a' toirt cosnaidh do àireamh mhòr dhaoine mun cuairt na sgìre ud, agus chaidh baile Yallourn a thogail sa chiad dhol a-mach airson luchd-obrach a' ghnìomhachais.

Thug mi an aire cuideachd, gun robh an

talamh-uachdair a bha iad a' sgioladh o na puill mhòra sin, air an tilleadh air uachdar na talmhainn a chaidh a dhèanamh rèidh a-rithist an dèidh a' mhòine a thoirt às.

Anns na bliadhnachan on a thadhail mise ann a Yallourn, chaidh am baile fhèin a leagail gu làr airson a' ghuail a bha fodha a thoirt às an talamh, agus thogar baile ùr dhan t-sluagh.

Dh'fhàg mi mo chàirdean, agus thill mi gu Melbourne far an robh an luchdadh an sin gu bhith crìochnaichte, agus sheòl sinn a-rithist air an ath sgrìob, còig cheud mìle, gu Adelaide.

ADELAIDE
Tha am baile sin air shuidheachadh air Bàgh Naomh Vincent, air bruaich Abhainn Torrens, agus faisg air an Abhainn mhòr Mhoireach a tha sruthadh tarsainn Stàit Bhictoria, agus a tha ceangal ri aibhnichean fada na Darling agus Murrumbidgee a shruthas tarsainn fearann farsaing Stàit na Cuimrigh Ur.

Chaidh Adelaide a chur air bonn ann a 1836, nuair a dhealbhaich an Coirneal Uilleam Light (a' chiad cheannard fir-tomhais fearainn, a chaidh gu ceann a deas Astrailia) an t-àite a b'fheàrr airson am baile a stèidheachadh. Thagh e an t-àite letheach eadar beanntan nan Mount Lofty Ranges agus tràighean a' bhàigh air bruaich Abhainn Torrens. Chuir e mach dealbh nan sràidean agus nam pàircean gorma mun cuairt a' bhaile, a tha nis làn chraobhan de gach seòrsa agus nan àitean grinn anns an siubhail muinntir a' bhaile uile mar 's toigh leotha. Tha na bùithean mòra agus togalaichean mhalairteach a' bhaile nan aon earrann, a' fàgail a' chòrr dhen àite saor airson thaighean-còmhnaidh, eaglaisean agus sgoiltean. Is e àite grinn e gun teagamh agus tlachdmhor a shiubhal.

Bha an dùthaich mun cuairt cho rèidh agus furasda a shiubhal air trèanaichean-ionadail, 's gun do ghabh mi turas gu baile ùr Elizabeth — a chaidh ainmeachadh an urram Bànrigh Ealasaid, agus a chaidh a thogail airson nan eilthireach a thàinig à Breatann an dèidh an Dàrna Cogadh Mòr. On a bha mi fhèin à baile ùr Chomar nan Allt aig an àm, bha mi deònach faicinn an robh an dà bhaile co-ionann.

Gu dearbh chunnaic mi gun robh an dà bhaile glè choltach ann an iomadh dòigh a thaobh thaighean ùra, agus mar a chaidh an dealbhachadh, ach sin cho fada 's a chaidh e. Ann am baile Ealasaid, bha barrachd farsaingeachd eadar na taighean, agus bha iad uile air an sglèatadh dearg — mar tha cuid mhòr de thaighean Astrailia, le ballachan dealbhte dathach, agus an t-uabhas chraobhan air an cur air fheadh uile. Thachair mi ri mòran dhaoine à Breatann, agus muinntir à dùthchannan eile na Eòrpa ach glè bheag a dh'Astrailianaich fhèin ann. Chan eil fios agam am b'e deuchainn a bhathar a' feuchainn ri dhearbhadh, gum faigheadh iad air aghaidh na b'fheàrr nam measg fhèin no measgachadh ri muinntir na dùthcha, ach co-dhiù, bha cothrom an siud aig gu leòr dhuibh, nach faigheadh iad sna dùthchannan on d'tàinig iad.

On trèan mhothaich mi do threudan chaorach Merino ann an raointean a bha glè thioram agus teth ach sin an seòrsa àite a tha soirbheach dhan ghnè chaorach sin. B'e mo bheachd nach maireadh ar caoraich dhubh-cheannach fhèin fada san teas ud.

Cha robh ar turas gu Adelaide ach goirid gu leòr, oir bhathar a' cur cabhaig oirnn gus an dùthaich fhàgail mun tigeadh àm na Nollaig, a chuireadh bacadh air obair ar luchdadh. Bheireadh an ath sgrìob gu Albany sinn — baile beag an iar-dheas taobh siar na dùthcha, agus 1017 mìle tarsainn an Great Australian Bight — cuan fosgailte ri gaoithean a' chuain mhòir a' sìneadh gu Antartica, agus cinnteach a bhith fiadhaich gu math tric.

ALBANY

Dh'fhairich sinn blas na gaoithe gun teagamh air ar turas tarsainn a' Bhight, agus tulgadh nan tonnan dhen do chaill sinn cuimhne an dèidh ar turais shìtheachail tarsainn a' Chuain Shèimh. Thug ar turas trì latha, agus thug sin cothrom dhomh fhèin eachdraidh mo thadhail am bailtean Astrailia thuige sin, a sgrìobhadh airson na cloinne-sgoile ann an Comar nan Allt, agus a phostadh thuca mum fàgainn an dùthaich.

Sheòl sinn a-steach do bhàgh beag air a

chuartachadh le beanntan coillteach, agus gun mhòran thaighean ri fhaicinn a bhàrr air na bha cruinn mun cuairt a' chala. Bha sinn ri tuilleadh bathar de clòimh a' luchdadh an sin. B'e am fear ris an robh sinn a' dèiligeadh, fear aig an robh làmh anns gach nì bha dol air aghaidh san àite, agus b'e duine gasda càirdeil a bh'ann.

Dh'fhàg e Poland an àm an Dàrna Cogadh nuair a sguab na Gearmailtich tarsainn na dùthcha sin, agus rinn e a rathad gu Astrailia. B'e tuathanach a bha ann na dhùthaich fhèin, agus fhuair e seilbh air earrann fearainn ann an Albany a bha fhathast fo choille. Le neart a ghàirdeanan fhèin, ghlan e am fearann, agus thòisich e air àiteach. Thog e taigh agus phòs e. Bha deichnear theaghlaich aige, a' chuid bu mhotha dhuibh, gillean, agus balaich cheart cho sgairteil rin athair. Dh'fhosgail iad tuilleadh fearainn on choille, agus bha sgrìoban mòra aca fo àiteach agus iad ag àrach chaorach. B'e an clòimh-san a bha sinn a' luchdadh, maille ri cuid thuathanach eile a bha a' fosgladh an àite mar a bha esan.

Thug e cuireadh dhuinn uile gu thaigh mòr farsaing an oidhche sin airson cuirm 's ceòl a bha anabarrach taitneach agus toil-inntinneach, agus gu tachairt ri tuathanaich eile an àite. Bha sliasaidean feòil-caorach a' ròstadh os cionn teine a-muigh, agus bùird cruaichte le pailteas bìdhe agus deoch. Bha ceòl 's dannsa a' dol air aghaidh gu

madainn, a' toirt nam chuimhne na bainnsean-
taighe a b'àbhaist a bhith againn fhèin
uaireigin, nuair a thogte taigh ùr agus a bha air
a chlàraidh ùr mar thalla airson dannsa agus
aighear.

Dh'fhàg sinn ar beannachdan aca uile an ath
latha mun do sheòl sinn, agus bha muinntir an
àite uile gar faicinn air falbh on laimrig.

FREEMANTLE

Sheòl sinn mun cuairt oir a' chladaich, seachad
Rubha Leeuwin, agus gu tuath gus an do ràinig
sinn baile-puirt Freemantle aig beul Abhainn
Swan.

Is e sin am baile-puirt do bhaile Pheairt a tha
suidhichte beagan a-staigh air an tìr, mar tha
port Lìte do Dhùn-Eideann. Is e baile sgiobalta
glan a tha ann, le thogalaichean grinn mar am
bailtean eile Astrailia, ach 's ann airson malairt
a' phuirt a tha a' chuid as motha dhuibh.

Bha luchdadh a' bhàta gu bhith nis
crìochnaicte, ach chaidh a h-uile oisean a
lìonadh le tuilleadh bhogsaichean mheasan
agus feòla o na tuathanais mhòr suas gu tuath
air an taobh ud dhen dùthaich.

Co-dhiù, bha ùine agam tadhal air tuilleadh
eòlaich a thug air cuairt do Pheairt mi. Is e baile
snasmhor tha sin le togalaichean eireachdail
agus sràidean farsaing a' gearradh cothrom
tron àite.

B'ann ann an 1697 a sheòl am maraiche
Willem De Vlamingh às an Olaind suas an

Abhainn Swan, agus a chunnaic e a' chiad ealachan dubha a bha cho annasach oir cha robh aithne air gnè de eala aig an àm ach an fheadhainn gheala. B'e sin a thug an t-ainm dhan abhainn. Is e Koonawarra an t-ainm a bha aig Aborigines an àite orra a rèir an fhead a bha aca air iteig. Is e sealladh àlainn ealtainn dhuibh fhaicinn a' siubhal airson bìdhe air Loch Monger, faisg air Peairt.

Bha a-nis an t-àm air tighinn am feumamaid Astrailia fhàgail nar dèidh.

7. AN TURAS DHACHAIGH

Bha an cuan gorm romhainn, agus tonnan fada mall a' sìneadh o fhad bhuan an astair o thìrean deighte Antartica. Bha gaoithean na mara fionnarach an dèidh teas na tìre, agus leis a' bhàta a bhith luchdte gu h-uachdar, bha i seòladh cothrom calma tron mhuir. Sguabar 's ghlanadh gach oisean dhen chlàr-uachdair, gus an robh a dhreach a' dèarrsadh sa ghrèin uair eile, agus chaidh gach inneal-togail-bathair 's nithean eile air a' chlàr-uachdair a sgioblachadh agus a cheangal sìos tèarainte, deasaichte airson seasamh suas ri stoirm no gailleann ris an tachramaid mun ruigeamaid ar ceann-uidhe. B'e sin Liverpool, faisg air 11,000 mìle air falbh, ach dh'fheumamaid tadhal ann an Durban, an ceann a Deas Afraca air an rathad airson ar connadh ola agus uisge a leasachadh.

A' mhionaid a chaidh sinn à sealladh na tìre, nochd am Frigate Bird — eun caran coltach ri faoillinn dhan tug na sean mharaichean an

93

t-ainm, oir leanadh e iad gu tìr mar long-chogaidh a' cumail faire orra. Leanadh an t-eun sin am bàta faisg air còig cheud mìle on chladach, agus an uairsin thionndaidheadh e gu tìr, a' fàgail faire a' bhàta tarsainn a' chuain ris an Albatross. Is e gnothach annasach e gun teagamh, ach sin mar a thachras do gach bàta a' dol tarsainn a' chuain ud.

Ghabh ceithir Albatroiss an stèiseanan os cionn a' bhàta — a dhà air gach taobh. Is e eòin mhòra riochdail iad, nas motha na na sùlairean, agus glè choltach riutha. Leanaidh iad am bàta o mhoch sa mhadainn gu dol fodha na grèine, nuair a laigheadh iad air bàrr na mara. Ach, le èirigh na grèine an ath latha, bha iad a-rithist air an stèiseanan. Mar a dheidheadh na làithean seachad dh'fhàsadh neach uabhasach dèidheil orra, a' siubhal cho aotromach gun sgiath no iteag a' gluasad. Chan eil e na iongnadh ged a chaidh an t-sean mharaiche san dàn, às a rian nuair a chaidh an Albatross a mharbhadh. A rèir beul-aithris, cainte gur e anamanan sean mharaichean a tha sna h-eòin sin a' stiùireadh bhàtaichean sàbhailte tarsainn a' chuain. Tha mi fhèin a' creidsinn gur e, nuair a chì thu an t-sùil a bheir iad ort, 's iad a' siubhal socrach os cionn drochaid a' bhàta.

Co-dhiù, cha b'e sin uile a bha air ar n-inntinnean a' fàgail na tìre nar dèidh. Bha latha Nollaig gu bhith oirnn, agus bha ar còcairean trang ag ullachadh na cuirme a tha minigeach a dhèanamh aig muir airson an latha chliùiteach sin a chuimhneachadh.

Bha mi fhèin trang gu leòr a' cur air falbh theachdaireachd gu càirdean an sgioba aig an taigh, agus a' cruinneachadh uiread eile bhuapsan o stèisean na rèidio aig Portishead. Bha tuilleadh ri chur gu càirdean 's eòlais a dh'fhàg sinn an Astrailia, agus freagairt a' tighinn bhuapsan. Co-dhiù, shìolaidh an oidhirp sin sìos le oifisean a' dùnadh anns gach àite airson na fèille, agus cha robh mòran eile agam ri dhèanamh ach a dhol sìos dhan t-seòmar mhòr far an robh càch nach robh ag obair gan sealbhach fhèin le gach gàirdeachas a bha dol. On a tha e na chleachdadh do dh'Albannaich barrachd a dhèanamh dhen Bhliadhn' Ur na dhen Nollaig, dheònaich cuid dhe na h-Albannaich obair an latha a ghabhail os làimh, a' fàgail chàich saor gu dèanamh mar bu thoigh leotha. Aig a' Bhliadhn' Uir, dhèanadh na Sasannaich an obair, agus bha muinntir Alba san sgioba, saor gus a' Bhliadhn' Ur a thoirt a-staigh mar 's àill dhaibh.

Aig meadhan-latha chuir an sgiobair dramannan a-mach air leth na Companaidh mar a tha na chleachdadh, agus cha robh iad sin air an caomhnadh. Leugh e mach beannachdan 's fàilte bhuapa airson an t-seirbhis a rinn na maraichean tro na bliadhna a bha air dhol seachad, agus dòchas gum bitheadh an ath bhliadhna na b'fheàrr.

Aig uair feasgair shuidh sinn uile sìos aig bùird cruaichte le gach biadh — bradain, diofar feòla, lusan, rudan milis, fìon 's deoch, agus gach nì air a dheasachadh cho blasda 's a ghabhadh e dèanamh. Bha na stiùbhardan a' ruith mun cuairt a' riarachadh gach aon, agus bha an rùm fhèin air a sgeadachadh gu àlainn le brataichean agus sròlan dathach. Bha còrr 's cus bìdhe air a chur a-mach 's a b'urrainn do neach idir a dhol roimhe, ach co-dhiù, lìon gach aon e fhèin gus an robh e gu spreadhadh — cha robh smaointinn air an làrna-mhàireach nuair nach bitheadh miann aca sealladh an còrr bìdhe fhaicinn.

Dh'òlar deoch slàinte na Bànrigh mar tha àbhaisteach a dhèanamh, agus slàinte nan teaghlaichean 's chàirdean a bha air ais aig an taigh.

An dèidh sin, dh'èisd sinn ris an rèidio agus programan na Nollaige a bhathar a' craobh-sgaoileadh air feadh an t-saoghail, maille ri òraid na Nollaige on Bhànrigh. Ged a b'e àm gairdeachais 's aoidheachd e air bòrd a' bhàta, bha smuaintean gach fear air a chuideachd fhèin fada air falbh, agus e a' smaointinn gu dè bhitheadh iad ris aig a' cheart àm. 'S ann aig àmannan mar sin as motha a dh'fhairicheas maraichean an dealachadh on teaghlaichean fhèin.

Chaidh sin seachad, ged a bha a leithid eile ri dhol roimhe a' cumail cliù air a' Bhliadhn' Ur.

Bha na h-eòin mhòra, na Albatroiss, gar

leantainn gun fhois. Laigheadh iad gach oidhche air a' mhuir, ach tha mi cinnteach gur e na h-aon fheadhainn a bheireadh oirnn an ath mhadainn, agus a shiùbhladh socrach air an stèisean gach taobh dhuinn. Cha robh eun eile ri fhaicinn sa chuan.

An-dràsda 's a-rithist chitheamaid spùtadh àrd uisge ag èirigh às a' mhuir, agus greis an dèidh sin nochdadh dromannan dheannan mhucan-mhara — an dromannan dubh-ghorm — agus b'e beathaichean mòra fada iad. Gu fortanach dhaibh cha robh sinne no sealgairean eile sa choimhearsnachd a' dol a chur dragh orra, agus sheòl iad seachad air an gnothach fhèin.

Mar bu ghiorra thàinig sinn do chladach Afraca a Deas, bha tuilleadh còmhraidh ri chur gur fear-ionad, ag innse dha ar riatanasan a thaobh ola, uisge 's nithean a bha dhìth oirnn, a bhitheadh gar feitheamh nuair a ruigeamaid cala. Thog sinn ceòl rèidio Afraca a Deas, agus bha e na b'fhasa naidheachdan a thogail à Breatann fhèin, a bhathar a craobh-sgaoileadh gu dùthchannan cèin.

Sheòl sinn a-steach bàgh Durban air feasgar, agus chaidh ar toirt gu laimrig faisg air meadhan a' bhaile. Bha ar fear-ionad le phacaidean litrichean an sin, agus grunnan dhaoine eile mar cìs-mhaoir agus luchd-ceannaiche le malairt a chaidh òrdachadh. A' sealltainn orra uile nan seasamh air an laimhrig sam bàta a' dol ri thaobh, b'e shaoil

mi fhèin annasach, cho gruamach 's a bha an
gnùis, gun fiamh gàire air aodann aon aca. Cha
b'e sin do mhuinntir Astrailia a bha toil-
inntinneach daonnan — ach b'e gnè eile
dhaoine a bha còmhnaidh an Afraca a Deas.
Bha iad sin dubh agus geal gun dòigh a
mheasgaicheadh iad ri chèile.

Ged a bha mi iomadh uair an Afraca a Deas
ron turas ud, cha tug mi riamh an aire gun robh
an sluagh — gu h-àraidh na daoine geala o
shliochd muinntir na h-Olaind a dh'imrich
dhan àite o linntean — cho fìor ghruamach.
Bha an diofar sònraichte sin eadar iadsan agus
na Astrailianaich ro-fhoillseach amharc, an
dèidh muinntir na dùthcha eile fhaicinn o
chionn cho goirid a dh'ùine.

Ach cha do chur sin bacadh orra, a' gabhail
obair stòradh a' bhàta os làimh, obair a rinn
iad gu math ealanta.

Fhad 's a bha sin a' dol air aghaidh, thug cuid
againn ceum suas am baile. Chan eil mòran
àitean an Afraca a tha cho eireachdail ri
Durban. Tha am baile air a thogail mun cuairt
bàgh mòr farsaing, agus on gob fearainn aig
beul a' bhàigh tha tràigh fhada gheal
a' sìneadh mìltean gu tuath ri oir na mara. Sin
far a bheil na togalaichean àrda a sholairicheas
an luchd-turais o na h-earrannan dhen
dùthaich fada on mhuir, agus chan eil seòrsa
taitneachd nach eil air ullachadh air an son.
Am meadhan a' bhaile, le sràidean dìreach
farsaing, tha bùithean a' reic malairt o gach

cearna dhen t-saoghal, agus gu dearbh chan eil coltas cion beirteis air aon dhen t-sluagh — bitheadh e dubh no geal, dhe na chunnaic mise anns a' bhaile.

Is e talla-mhòr a' bhaile aon de na togalaichean 's riochdaile a th'ann, ach tha feadhainn ghrinn eile ann mar Oifis a' Phuist, Art Gallery, Museum agus eaglaisean. Tha pàircean 's gàrraidhean làn chraobhan 's lusan dathach air gach taobh, agus sa bhàgh fhèin, tha acarsaid air a chur air taobh airson luingeas-thaitneachas airson luchd-turais agus seòladairean a' bhaile fhèin. Ann an àite far a bheil an t-sìde cho blàth fad bhuan na bliadhna, chan eil e na iongnadh gum bitheadh uiread a luingis-shiùil a' seòladh mun cuairt, agus na tràighean cruaichte.

Cha robh ùine againn co-phàirt a ghabhail ann am mòran dhe na bha dol air an turas ud, oir bha leasachadh stòran a' bhàta crìochnaichte, agus an t-àm seòladh.

AN CUAN SIAR

Chuartaich sinn oir-thìr ceann a deas Afraca, a' dol seachad air bailtean East London agus Port Elizabeth, agus seachad Rubha Agulhas — an t-àite 's fhaide gu deas de thìr-mòr Afraca. Sin far an tachair na cuantan Siar agus Innseannach, agus a tha a' mhuir daonnan luasganach, le tonnan slaodach o dheas agus o fhuachd Antartica. Bha i ceòthach ri oir a' chladaich, ach gun romhainn ach an cuan farsaing cha robh sin a' cur cùram oirnn.

Bha sinn a-nis air a' chùrsa dhan iar-thuath a bheireadh seachad air eileanan St Helena agus Ascension sinn, ged nach robh sinn a' dol idir faisg orra, tarsainn cearcall-meadhan an t-saoghail uair eile, agus suas taobh siar oir-thìr Afraca.

Dh'fhàg sinn an samhradh nar dèidh air taobh a deas an t-saoghail, agus dh'fhairich sinn feannadh a' gheamraidh a' tuiteam gu math grad a' dol seachad air Dakar. Thionndaidh a' ghaoth dhan tuath, agus dh'fhàs i anabarrach fuar. Bha an fhairge a' sìor fhàs na bu chorraiche le stuaghanan a' briseadh tarsainn toiseach a' bhàta. Sin mar a bha an t-sìde gus an tàinig sinn gu fasgadh eileanan Canary, agus a sheòl sinn seachad baile Las Palmas. Bha an t-àite sin trang le bàtaichean de gach seòrsa a-mach 's a-steach às a' phort, oir is e sin cuideachd àite san leasaich bàtaichean an riatanasan. Tha togalaichean àrda spiriseil a' dol suas an sin gun stad, a' dèanamh àite dhan luchd-turais a tha iad a' sìor thàladh ann. Nuair a dh'fhàg sinn fasgadh nan eilean sin, bha sinn a-rithist a' faireachdainn neart sgairteas na gaoithe, agus a rèir na bha mi a' cluinntinn mun t-sìde romhainn, cha ruigeamaid a leas a bhith an dùil na b'fheàrr fhaighinn.

Bha faisg air còig mìosan o na sheòl sinn o na taobhan ud roimhe, agus cha robh againn ach grian 's muir sèimh air a' chuid bu motha dhe

ar turas. Mar sin, cha robh e ro-thaitneach a bhith tilleadh do leithid seo a shìde gheamhraidh. Cha robh tuilleadh feum air gaoth fhionnarach a shèideadh tro sheòmraichean a' bhàta, agus b'ann a thòisichear air gaoth bhlàth a shèideadh troimhpe, gu beagan blàiths a chur mun cuairt. Thàinig an t-aodach trom a-mach à preasan uair eile, agus gu cinnteach bha sin riatanach.

Suas seachad Finisterre, agus aig toiseach a' Bhàgh Biscay, bha sinn an teis-meadhan stoirm a bha a' sèideadh gu fiadhaich on iar. Bha an fhairge a' briseadh tarsainn a' bhàta na smùid gheal, agus cha b'urrainn neach a shròn a chur a-mach air doras. Co-dhiù, bha am bàta daingeann agus le luchd gu h-uachdar, bha deagh ghrèim aice air an fhairge, 's cha robh an gailleann a' cur mòran bacaidh oirre. Bha sinn a' tighinn dlùth air ar dachaigh fhèin, agus cha robh an còrr air inntinn neach.

Bha baile-puirt Liverpool fliuch agus fuar le thogalaichean gruamach glas, ach bu bheag smuain a bha aig aon air an sin ag aithneachadh chàirdean a thàinig nar coinneamh, agus a' pacadh ar bàgaichean, a' dèanamh deiseil tilleadh dhachaigh. Bha oifigich eile gar feitheamh airson ar n-obair a ghabhail os làimh fad 's a bhitheadh am bàta ga h-aotromachadh agus a-rithist ga luchdadh airson a h-ath thuras thairis nan cuan.

Thug mise an trèan orm dhachaigh, ach b'e mo bheachd tadhal air bòrd a-rithist nuair a ruigeadh am bàta Glaschu, agus a bhitheadh cothrom agam clann na sgoile à Comar nan Allt a bha sgrìobhadh thugam fad mo sgrìob, a thoirt air cuairt sìos air bòrd.